D1538634

«In all seinen Büchern [...] beschäftigt sich Daniel Kehlmann mit Menschen von außergewöhnlicher Intelligenz, die auf höchst unterschiedliche Weise herauszufinden suchen, was die Welt zusammenhält.» (Frankfurter Allgemeine Zeitung)

Daniel Kehlmann wurde 1975 in München geboren und lebt in Wien. Sein Werk wurde unter anderem mit dem Candide-Preis, dem Literaturpreis der Konrad-Adenauer-Stiftung, dem Doderer-Preis und dem Kleist-Preis ausgezeichnet. «Die Vermessung der Welt», 2005 bei Rowohlt erschienen und seither in über dreißig Sprachen übersetzt, ist einer der größten Erfolge der deutschen Nachkriegsliteratur. Als Rowohlt Taschenbuch liegt außerdem der Essayband «Wo ist Carlos Montúfar?» (rororo 24139) vor.

Daniel Kehlmann

Beerholms Vorstellung

Roman

Rowohlt Taschenbuch Verlag

Die Erstfassung von 1997 wurde für diese Neuausgabe
vom Autor behutsam überarbeitet.

5. Auflage Januar 2018

Veröffentlicht im Rowohlt Taschenbuch Verlag,
Reinbek bei Hamburg, Juli 2007
Lizenzausgabe mit freundlicher Genehmigung
des Paul Zsolnay Verlages Wien
© Deuticke im Paul Zsolnay Verlag Wien 1997
Umschlaggestaltung any.way,
Cathrin Günther / Barbara Hanke
(Abbildung: C. W. Röhrig, Der Zauberer,
akg-images; Images.com / Corbis)
Satz Adobe Garamond PostScript, PageOne,
Gesamtherstellung
CPI books GmbH, Leck, Germany
ISBN 978 3 499 24549 7

Solch ein Spiel verlangt Überlegung. Einem Taschenspieler zu glauben ist Abzeichen der Dummheit. Nicht anders aber der schlichte Unglaube, den er wohl zu nutzen und gegen dich zu kehren weiß. Darum merke dir: Ihm zu mißtrauen, das ist die Weisheit der Toren. Jedoch selbst vor dem Mißtrauen noch Vorsicht zu bewahren, das ist die Torheit der Weisen. Denn aus beidem erwächst Verwirrung. Welchen Weg du auch einschlagen willst: gewinnen wird der Taschenspieler.

(Giovanni di Vincentio: Über die Kunst der Täuschung)

Derowegen begreifet die Magie in sich die ganze Philosophiam, Physicam und Mathematicam, ferner die Kräfte des religiösen Glaubens.

(Agrippa von Nettesheim: Von der Eitelkeit der Wissenschaften)

I

Unsere seltsame Leidenschaft für erhöhte Standpunkte!
Jede abgenützte Baukastenlandschaft wird passabel, wenn
man sie von oben betrachtet. Sobald es einen Hügel gibt,
drängen die Menschen hinauf. Verlangt jemand Eintritts-
geld, dann zahlen sie.

Deswegen gibt es Türme. Und an den Türmen Aus-
sichtsterrassen. Und auf den Terrassen Tische und Stühle
und Kaffee und belegte Brote und Kuchen zu überteuer-
ten Preisen. Aber sie kommen. Man braucht sich nur um-
zuschauen: Alle Tische besetzt, Männer und Frauen, dicklich oder dürr, und dazwischen Kinder, viele, viel zu viele
Kinder. Der Lärm! Aber man gewöhnt sich daran. Und
sieh nur – wie nahe und dunkelblau der Himmel ist. Um
die Sonne herum – nicht scharf hinsehen! – ins Weißliche
und Unglaubhafte verfärbt. Darunter erstreckt sich die
Stadt. Gemasert mit Straßen voller Autos, leuchtenden
Ameisen. Da und dort schwingt sie sich zu glänzenden
Türmen auf. Dazwischen Unmengen von Würfeln, matte
und auch seltsam glitzernde. Aber damit kommt sie nicht
weit. Schon der Horizont ist von hellgrünen Hügeln ein-
gefaßt; heute sieht man nicht sehr weit, es wird wohl regnen. Ich sollte mich beeilen.

Also fangen wir an. Wo? Am besten dort, wo alles anfängt. Und dann, Schritt für Schritt, an der Zeit entlang. Keine Erklärungen! Hätte ich die, wäre ich nicht hier, und wüßte ich etwas, würde ich nicht tun, was ich tun werde. Ich weiß noch nicht, wie lange das hier dauern wird, aber einmal, und bald, wird auch dies zu Ende sein. Also noch einmal: Fangen wir an.

Zunächst bloß Farben. Vor allem Orange, ein wäßriges Grün, ein helles, sehr helles Blau. Und auf dem Grund ein reines, strahlendes Weiß. Sauberer als Neuschnee oder frische Vorhänge, eine gänzlich unirdische Farbe. Ich weiß: Man behauptet, daß Säuglinge farbenblind sind. Also gut; das mag stimmen! Die Farben sind wohl eine optische Täuschung meiner Erinnerung, oder auch eine Traumrückschau auf vergangene und kaum wirkliche Zustände vor dieser, vor jeder Existenz.

Und dann? Dann lange nichts. Welche weiblichen Wesen ließen sich dazu herab, mir mütterliche Attrappen zu sein, und in welchen weißen und desinfizierten Räumen? Ich weiß es nicht. In meinen frühen Erinnerungen findet sich keine Mutter, findet sich überhaupt kein menschliches Wesen. Alle Bilder auf den ersten verblassenden Seiten meines Gedächtnisses zeigen bloß mich, immer nur mich. Oder richtiger: Sie zeigen nicht einmal mich; aber alle Dinge sind überschattet von meiner Anwesenheit, blicken auf mich, sind durch mich, für mich. Das Gras, der Himmel, die freundliche, schattengefleckte Zimmerdecke. Als hätte es eine Zeit gegeben, in der ich der einzige Mensch auf der Welt war.

Da ist ein sonnenwarmes Frotteetuch, gelb in einer grünen, lichtduftenden Wiese. Sicher, da müssen Menschen

in der Nähe sein, wer auch immer, aber sie sind nicht aufbewahrt. Nur das Tuch und der Rasen und die Luft. (Und
noch heute betrachte ich die gutgewaschenen Tücher, die
fette Hausfrauen in die Kamera der Fernsehwerbung halten, mit bestürzter Wehmut.) Dann wieder die Zimmerdecke, gelb auch sie, aber langsam färbt sie sich ins Graue.
Ich liege in meinem Bett – der Kissenbezug zeigt einen
verkrampft grinsenden rotnasigen Clown, den Kinder
wohl mögen sollen, der mir aber unheimlich ist –, und
sehe zu, wie vor dem Fenster die Dunkelheit aus dem
Himmel sickert. Aber ein dünner, länglicher Lichtstreifen
in der Ritze der Tür spricht von Sicherheit, von Schutz.
Natürlich, dieses Licht bedeutet die Anwesenheit anderer,
aber mein Vertrauen scheint sich mehr auf das Licht
selbst, seine Gegenwart und Macht, zu gründen. Das
Licht – die Sonne. Der ungeheure brennende Ball; blickt
man ihn an und schließt die Augen, glüht er in der Dunkelheit nach, und es dauert lange, bis die letzten kleinen
Flammen ausgegangen sind. Ich muß ihn viel, viel zu viel,
angestarrt haben. Er war immer da, und sei es nur in Gestalt eines Glimmens unter der Tür.

Dann ein Regenwurm, lang und rötlich, in brauner
Erde unter farbigen, großen Blumen. Ich hebe ihn auf, betrachte ihn, wie er über meine Handfläche kriecht, und
dann, mit seltsam mitleidlosem Interesse, nehme ich ihn
an seinen Enden und reiße ihn entzwei. Ich lasse los, die
beiden Hälften fallen auf die Erde und – kriechen weiter,
zucken, winden sich, bewegen sich vorwärts, zwei selbstän-
dige Wesen, die einander nicht kennen und nichts miteinander zu tun haben. Ich fühle jetzt noch den Schreck, den

kalten elektrischen Schlag und das Kribbeln auf meiner Haut wie von einer Reisegruppe hektischer Spinnen. Nicht ein Erschrecken vor dem Tod, im Gegenteil: vor dem Leben. Vor jenem niedrigen, sinnlosen Leben, das sich entzweispalten kann und wieder vereinen und teilen und das gliedlose Kreaturen aus Dreck formt. Vor dem Leben, wo es noch vielfältig ist und kriechend und krabbelnd und nahe am Boden im Feuchten und Schattigen. Vor dem Leben, wo es noch unberührt ist von Ordnung und Geist. Das Leben, und nicht der Tod, ist das Unvernünftigste; und nichts in der Welt ist erschreckender als reines, todloses Leben.

Es gibt noch andere Erinnerungen, aber sie widersprechen jeder Logik. Ich sehe mich verirrt in einem Wald, umringt von schwarzen, unendlich hohen Baumstämmen und fühle mich laufen, laufen, stolpern, laufen, hinaus auf eine mondlichtgesprenkelte Wiese; wer verfolgt mich? Ich sehe mich fallen, immer wieder fallen, über Felskanten, Treppengeländer, in dunkle oder helle Abgründe; immer gibt irgend etwas nach und erweist sich als zerbrechlich, der feste Boden kippt und überläßt mich unerwartet der freien Luft, der sich unendlich schnell verkürzenden Tiefe, dem heranrasenden Erdboden. Dann wieder Insekten, dann wieder die Sonne, aber jetzt farbumlodert und unheimlich. All das kann sich nicht ereignet haben, zumindest nicht in dem Teil meines Lebens, der im Licht liegt und in der Vernunft. Er gehört auf die Nachtseite, zur Traumwelt, die mein Dasein und jedes Dasein, umwuchert.

Und wann endete das alles? Zufällig weiß ich das genau.

Ich saß auf dem Teppich und betrachtete einen jener pädagogischen Spielzeugkästen mit stern-, kreis-, drei- und viereckförmigen Löchern, durch die man geometrische Bausteine schieben kann. Die Herausforderung besteht darin, herauszufinden, daß ein Stein nur durch jenes Loch wandern kann, das die gleichen Umrisse hat wie er selbst. Gut, ich nahm einen Kreis und versuchte, ihn in das Quadratloch zu stecken; es ging nicht; ich probierte das Dreieckloch; es ging nicht; ich probierte das Kreisloch ... – es ging. Dann nahm ich ein Dreieck und sah den Baustein an und die Löcher und wieder den Baustein. Und auf einmal war alles anders. Ich sah, fühlte, wußte – jawohl wußte, daß es eine Ordnung gab, die jedes bunte Ding auf seinen Platz, in seine Form wies, und daß irgendwo in einem unberührbaren Land ein Kreis lebte, ein Dreieck und ein Quadrat. Es mochte hier und dort und irgendwo und immerdar Kreise geben, es gab doch nur einen, einen einzigen, einen wahrhaften Kreis. So saß ich, ein zweijähriger Platoniker, auf dem Teppich und rieb mir die Augen. Eine lächelnde Holzfigur mit verformbaren Gliedern und ein dicker kleiner Plüschelefant lagen neben mir und starrten mich an, gierig nach Spielen. Aber danach war mir jetzt nicht. – Den Kasten habe ich danach nie wieder angerührt, natürlich nicht. Ich war hinter sein Geheimnis gekommen, jetzt war er langweilig. Er verschwand bald in einer Kiste in irgendeinem staubigen Keller. Doch ich verdanke ihm viel. Nicht, daß sich sofort etwas geändert hätte; aber heute glaube ich, daß ich damals, an diesem Nachmittag, zum Menschen geworden bin. Das, und nicht irgendein blutiger Moment voller Geschrei, Schmerzen und Scheußlichkeit war der Augenblick meiner Geburt.

Vor nicht ganz dreißig Jahren kam ich zur Welt, und zwar in einer mittelgroßen und mäßig häßlichen Stadt. (Unangenehm genug, aber sie hat mich kürzlich zum Ehrenbürger ernannt.) Ich kam zur Welt, um die Phrase zu wiederholen, als Sohn einer Mutter und keines Vaters.

Vor ein paar Jahren habe ich einige halbherzige Nachforschungen angestellt, aus Interesse, nicht aus innerem Bedürfnis, heftiger Seelenqual oder ähnlichem Unsinn. «Du mußt», sagten immer wieder Leute zu mir, «doch wissen wollen, woher du stammst!» Worauf ich nie etwas Besseres zu antworten hatte als: «Warum?» Nun, man behauptet, unsere Herkunft bestimme unser Leben. Ich halte das für dunkle Mystik, die versucht, den Menschen an die braune Erde zu fesseln, an sein Blut, an die Kolonie geselliger Zellen, die seinen armen Körper formt. Aber wie auch immer, hier ist, was ich herausfand:

Meine Mutter war sehr jung, viel jünger als du jetzt bist. Ein Mädchen aus, wie man sagt, armen Verhältnissen. Ich wurde geboren, ich kam ungelegen, ich wurde freigegeben zur Adoption, alles unter Tragödien, die ich zum Glück verschlief, die freundliche Familie Beerholm nahm mich auf. Ich habe meine Mutter nie gesehen; ich hatte nie das Bedürfnis danach. Ich hätte zu ihr gehen können – ein Detektiv besorgte mir ihre Adresse –, und im Grunde könnte ich das immer noch. Aber wozu? Ich bin erwachsen, wir kennen uns nicht. Sie würde sich verpflichtet fühlen zu weinen, ich vielleicht auch, und eigentlich wäre es uns bloß furchtbar peinlich. Natürlich, ich könnte sie nach meinem

Vater fragen ... – Den nämlich gibt es nicht. Im Geburtsschein steht keiner, niemand weiß von einem, und auch der Detektiv erwies sich als unfähig, einen aufzutreiben. Wahrscheinlich würde meine Mutter mir sagen, wer es ist. Aber das Leben ist so geübt darin, seinen Überraschungen eine Wendung ins Enttäuschende zu geben; ich würde wohl einem senilen Eisenbahner, einem Gerichtsrat, einem glatzköpfigen Artilleriegeneral begegnen. – Nein, ich habe mich an den Gedanken gewöhnt, keinen Vater zu haben. Und er gefällt mir. Er eröffnet einen traumhellen Raum von Möglichkeiten, den ich als Kind mit Helden, Königen und Astronauten bevölkerte. Und später sah ich ihn gerne leer. Es ist gut, von niemandem abzustammen.

Und wann erfuhr ich, daß sie mich adoptiert hatten? Früh, sehr früh. Da gab es keine späten Enthüllungen, kein Entsetzen, kein Zusammenbrechen von Illusionen. Ich wußte es eigentlich immer. Und es war mir egal.

Ella Beerholm, die ich wohl «Mama» nannte, als ich zu sprechen anfing, war eine breite Frau mit rundem, faltigem Gesicht und kurzgeschnittenen Haaren. Vor Zeiten, ich weiß es von Fotografien, war sie beinahe schön gewesen, doch als wir uns begegneten, stand sie in den Fünfzigern, und das war Vergangenheit. Meine Erinnerungen an sie sind die hellsten, wärmsten und ungetrübtesten, die ich besitze. Sie verschwand früh aus meinem Leben, aus dem Leben überhaupt, und damit endete die Zeit, in der alles in Ordnung war. Die Vögel am Himmel, die Leute auf der Straße, die Bäume am Horizont und der Regen am Nachmittag, all das war, überglänzt von ihrer Gegenwart, am rechten Platz. Es fällt mir schwer, Ella in Worte zu fassen;

der Versuch, es zu tun, stellt mich vor die bestürzende Tatsache, daß nur noch wenig, entsetzlich wenig von ihr, in meinem Gedächtnis ist. Ihre Augen natürlich, ihre Stimme. Und dann gleich ihr Pelzmantel, dick, wie geschaffen, um das Gesicht hineinzudrücken, und mit einem eigentümlichen Naphthalingeruch, dem Geruch der Sicherheit. In diesem Mantel holte sie mich täglich aus dem von Geschrei und Bösartigkeit dampfenden Raum des Kindergartens ab. Es war unsagbar schlimm, jeden Tag von neuem. Ein kleiner Kerl – damals schon erschien er mir klein – bewarf mich mit Schokoladekugeln, die er von daheim mitbrachte, wo sie eigens dafür von seiner Mama angefertigt wurden. Ein anderer saß auf dem Boden und aß Bausteine. Dutzende. Jeden Tag. Ich weiß nicht, wie er es überlebte. Ein dritter versuchte, mit einer Stahlschaufel die Fenster einzuschlagen. Beaufsichtigt wurde das von einer überforderten, schreienden Neunzehnjährigen, die mir damals sehr alt und dumm vorkam. Es war die Hölle. Es war das äußerste Maß an Verwirrung, Willkür und Unsicherheit, und ich begriff nie, warum Ella mich täglich alldem überließ. Aber wie segensreich, wenn sie dann herabstieg und mich holte.

Einmal hatte ich die Masern, aber es ging vorbei. Muß ich erwähnen, daß Ella mich gesundpflegte, daß sie mir radfahren beibrachte, daß sie mich tröstete, als ich mir den Arm gebrochen hatte, und daß sie mir – aber damit genug! – vor dem Einschlafen Geschichten erzählte? Das Erzählen übrigens übernahm, nachdem sie diesen runden, meerblauen Stern verlassen hatte, ihr Mann. Ich war damals sieben Jahre alt.

Ellas plötzlicher Tod ereignete sich in einer Region, in der sich Schicksal, Irrsinn und Statistik auf das Unangenehmste berühren. Ella Beerholm, die Frau, die ich vermutlich einmal «Mama» genannt habe, wurde an einem freundlichen Frühlingstag vom Blitz erschlagen. Ich weiß, wie klein die Wahrscheinlichkeit ist, daß einem Menschen so etwas zustößt. (Was mich betrifft, so wäre es wahrscheinlicher, daß mich eine Pistolenkugel oder ein fallender Ziegelstein tötet, hätte ich nicht das Privileg, genau und jenseits aller Berechnung zu wissen, wann ich sterben werde und wie.) Ich weiß auch, daß jedes Jahr und überall eine gewisse Zahl von Leuten auf diese erhaben lächerliche Weise ums Leben kommt; der armen Ella Pech war es, daß sie grundlos und unverschuldet unter diese Menge fiel, die Mathematik ist blind. Das ist die Betrachtung aus dem kühlen Zahlenreich, und wie immer hat sie etwas Beruhigendes. Anders die theologische: Ella war ein friedlicher Mensch, nützlich und gut, des Herren Magd. Aber der Himmel wählte die drastischste, die effektvollste Methode, um ihr Herz zu verbrennen und ihr Gehirn zu durchlöchern, um sie aus der Welt zu bomben.

Es war wirklich ein schöner Tag, der Himmel war blau und stark gewölbt, gefleckt nur von ein paar schillernden Wolken. Vögel kreisten, Bienen summten, einige Bäume waren überschüttet mit Blüten. Ein fernes Grollen kündigte ein Gewitter an, Ella hörte es und ging in den Garten, um die dort trocknende Wäsche abzuhängen. Wäsche abhängen – gibt es etwas, das weniger geeignet wäre, um dabei zu sterben? Ella betrat die Wiese, machte einen Schritt, noch einen, eine Libelle schwirrte vorbei, noch einen. Dann blieb sie stehen, streckte die Hände aus und nahm ein frischgewaschenes Handtuch von der Leine (vielleicht sogar das gelbe Handtuch, mein Handtuch, wer weiß; das Schicksal liebt sinnlose Symmetrien) – und in diesem Moment geschah es. Wissenschaftlich gesehen: Aus atmosphärischen Gründen gab es Potentialverschiebungen zwischen der Ladung hoher Luftschichten und der des tiefen braunen Erdbodens unter Ellas Füßen. Ein elektrisches Feld baute sich auf, eine körperlose Gegenwart von Kraft, von stummer Möglichkeit, ein Umschlagen von Nichts in Etwas, von Geist in Macht – unser ganzer Kosmos, so vermutet man, könnte solch einem Feld entsprungen sein. Vielleicht spürte sie es noch, als Bewegung in ihren Haaren, als Luftzug, der ihren Körper betastete, oder als ziehende Beklemmung in ihrem Inneren. Aber es war zu spät. Die Spannung nahm in wenigen Momenten um Ungeheures zu, die Sehnsucht zwischen Himmel und Erde wuchs ins Unermeßliche, und dann konnte nichts mehr, auch nicht ein paar Kubikkilometer nichtleitender Luft und auch nicht Ellas armer Körper, den Energieüberschlag verhindern. Eine Säule reinen Lichtes entsproß dem Boden, ein sich verästelnder Baum aus purer glühender Schönheit wuchs, streckte sich Hunderte Meter in die starre Luft, gefror für einen unendlich kurzen Moment, in dem die Engel den Atem anhielten und die Zeit vibrierte, – und erlosch. Dann stürzten Tonnen von Luft in den dünnen Vakuumspalt, und der Donner rollte über die Erde, drückte ein Fenster ein, schüttelte einen Baum und brachte ein Kind zum Schreien. Dann war es still. Die Spannung war ausgeglichen, die Luft gereinigt. Eine Libelle flog erleichtert davon, ihr war jetzt besser. Ein warmer Frühlingsregen setzte ein, sanft und erfrischend, jene Art von Regen, nach der man sich sehnt im langen Winter. Und Ella lag auf der Wiese. Das Gras unter ihr war verdorrt wie nach langer Trockenheit. Einige ihrer Organe, so wurde später festgestellt, waren buchstäblich geschmolzen, und ein Teil ihres freundlichen Gesichtes hatte sich in Feuer aufgelöst.

Von da an waren Beerholm und ich allein. Ich nannte ihn ‹Beerholm›, mit einer gewissen respektvollen Ironie. ‹Vater› wäre ja schlecht möglich gewesen, und ‹Manfred› (er hieß Manfred) ist wirklich kein Name, mit dem man jemanden anreden kann. Er war damals schon über sechzig und nicht besonders geeignet, ein Kind aufzuziehen. Ein eleganter Herr mit weißen Haaren, dicken Tränensäkken und grauen Anzügen in der grauen Farbe seines Schnurrbartes. Ich bin nie daraufgekommen, was eigentlich sein Beruf war. Meist saß er an einem Schreibtisch, Unmengen von Papier vor sich, und blätterte und machte Notizen und murmelte vor sich hin. Dann gab er Anweisungen in einen Telefonhörer. Ich habe niemals erfahren, mit wem er sprach. Ich stellte mir vor, daß es irgendwo riesige Bürohäuser voller Menschen gab, die an langen Tischen saßen und nur auf seine Befehle warteten, um auszuschwärmen und große Dinge zu tun. Möglich, daß es sich tatsächlich so verhielt.

Ich war viel allein. Beerholm sah ich nur morgens und dann wieder am Nachmittag und am späten Abend, wenn er mir eine Gutenachtgeschichte erzählte. Ein Ritual, das uns beiden lästig war, aber keiner von uns wagte, den Vorschlag zu machen, es aufzugeben. Beerholm, der nicht den geringsten Anflug von Phantasie besaß, konsultierte täglich kurz ein oder zwei Märchenbücher aus seiner Bibliothek. Die aber kannte ich schon alle, und so bemerkte ich natürlich, daß er sich die Geschichten nicht ausdachte, – und, schlimmer noch, auch er wußte, daß ich es bemerkte. Und so hörte ich wieder und wieder von der kleinen Meerjungfrau, vom Pferd Fallada (die schrecklichste Geschichte, die je einem Menschen eingefallen ist), von Peter Pan, von Merlin und Artus. Von Merlin, ja.

Vormittags war ich in der Schule, gegen eins kam ich heim und bekam von der Haushälterin – keine alte kinderliebende Frau, wie das Klischee es möchte, sondern eine junge hübsche, die mich nicht ausstehen konnte – ein aufgewärmtes Essen. Dann erledigte ich meine Aufgaben, schrieb kurze, angewiderte Aufsätze unter indiskrete Überschriften («Mein schönstes Erlebnis», «Mein bester Freund» – es braucht eine Menge von solchem Zeug, um Kinder an den Gebrauch von Phrasen zu gewöhnen) und löste mit leichter Hand einfache Rechnungen. Dann war ich frei. Es gab einen großen, gebüschreichen Garten; ich schlich durch das Gras und die Blumen, betrachtete kleine Tiere und den Himmel, freute und fürchtete mich, sprach mit dem backenbärtigen Gartenzwerg und stellte mir seltsame Dinge vor.

Eigenartig, wie diese Zeit von Angst überschattet war. Es gab einen braunen Fleck im Rasen; Beerholm ließ ihn beharken, vertikutieren, mit weißflockigem Dünger bestreuen – nichts half. Ich vermied diese Stelle, wich ihr aus, schlug Bögen um sie und starrte nachts durch die vor meinen Augen beschlagende Fensterscheibe auf sie hinunter. Aber das war nicht alles. Man sehnt sich oft zurück, in die Zeit, als man noch Phantasie hatte und spielen konnte und an Märchen und Götter glaubte – aber jenseits dieser Sentimentalitäten: Hat denn jeder die andere Seite vergessen? Den Schrecken, der in jedem schattigen Winkel wartet, die vielarmigen Gestalten, die aus der Ferne den Blick auf dich heften, das rein und unverstellt Böse, das im Keller darauf lauert, daß der Lichtschalter versagt? Die Welt um ein Kind ist noch nicht ganz festgefügt, an den Rändern fasert sie aus, es gibt noch Löcher darin und undichte Stellen und kleine Irrtümer im Gewebe. Nie wieder habe ich so intensiv das Grauen erlebt, das in der völligen Stille rauscht und in der Leere zwischen den Möbeln flimmert, wie in schlaflosen Kindernächten, wenn ich das Licht anknipste. Einmal, ich war acht oder neun Jahre alt, geriet mir die Geschichte von der bösen Frau in die Hände, die sich in eine Spinne verwandelt. In meinem ganzen Leben habe ich nicht mehr solche strahlend schrecklichen Alpträume, solche Exzesse der Angst durchlebt.

Dabei las ich sonst nicht sehr viel. Sicher, die Märchenbücher, dann die *Sagen des klassischen Altertums* in einer wertvollen Lederausgabe mit festen, goldumrahmten Seiten, Gotthelfs schreckliches Buch von der Spinne und einmal auch eine langatmige Lebensbeschreibung von Sir Francis Drake; ich weiß wirklich nicht, warum ich alle achthundert Seiten lang durchhielt. Es gab eine große Bibliothek im Haus, die Beerholms Großonkel einst zusammengetragen hatte, aber ich benutzte sie wenig. Ich war nie ein großer Leser, schon in der Grundschule war ich wenig interessiert in Deutsch und exzellent nur im Rechnen. Später las ich zum Vergnügen vor allem Bücher über die Traumreisen der theoretischen Physiker und aus beruflichen Gründen zuerst die klassischen Schriften der Theologie (des Aquinaten hundertbändigen Scharfsinn, Augustins klare Stimme, Brunos Häresien) und dann natürlich die Fachliteratur meiner neuen Profession: trockene Abhandlungen, deren wissenschaftliche Sprache Feuerwerke von Erstaunen, Wunder und Täuschung bereithält. Spinoza kenne ich vollständig, Pascal auch. Die *Kritik der reinen Vernunft* habe ich nie ganz bis ans Ende geschafft, auch Gödel bin ich nicht gewachsen. Beerholm hingegen sah ich nie etwas anderes lesen als die Wirtschaftsteile englischer Zeitungen. Er saß dann in einem uralten Plüschsessel, den Kopf schräg zur Schulter geneigt, die Augenbrauen hochgezogen, eine kaum merkliche Bewegung in den Lippen und träumerische Konzentration im Blick. –

In der Wüste, wo sie am heißesten ist, sind Tiere entstanden, die so sparsam mit ihrer Kraft sein müssen, daß sie sich nur bewegen, wenn es wirklich unvermeidlich ist, und auch dann nur langsam, ganz langsam. So ähnlich war Beerholm. Er sah nur auf, wenn es etwas zu sehen gab, griff nur nach etwas, wenn er es unbedingt brauchte, sprach nur, wenn wirklich etwas gesagt werden mußte. Sparsamkeit in jeder Bewegung, jeder Handlung, vielleicht auch jedem Gedanken. So kam es, daß er immer das Richtige sagte und tat und nie etwas Unpassendes.

Von Zeit zu Zeit unternahm er lange, stumme Spaziergänge durch das Haus mit mir. Es war ein großes Haus, drei Stockwerke und ein staubiger Keller, doch seine beste

Zeit lag weit zurück. Beerholm hatte es billig erstanden und seither, sparsam auch hier, nichts unternommen, um den Verfall aufzuhalten. Es war zwar mehr oder weniger sauber, doch Dielenbretter krümmten sich, feuchte Flekken breiteten sich an den Decken aus, und zuweilen sah man aus dem Augenwinkel kleine Spinnen davonkrabbeln, als wäre ein Stück vom Teppichmuster plötzlich lebendig geworden. Und durch dieses Haus nun gingen Beerholm und ich Hand in Hand, die Treppe hinauf, durch die einzelnen Zimmer, die Treppe hinunter, ins Erdgeschoß, noch eine Treppe hinunter in den Keller, durch graue Kellerräume, die Treppe wieder hinauf. Es begann immer mit Beerholms Frage «Wollen wir eine Wanderung machen?», über die ich kurz nachzudenken hatte, um schließlich «Warum nicht!» zu antworten. Und dann gingen wir, langsam, schweigend und ernst.

Einmal fand ich in einer Schublade (wie viele Geschichten beginnen so; doch diese nicht) ein Paket Tarotkarten. Ich sah sie an, legte sie aus, sammelte sie wieder ein, ließ mir von ihrer kitschigen Unheimlichkeit angst machen und versuchte vergeblich, meine Zukunft in ihnen zu sehen. Dann entdeckte ich, daß die Reihenfolge der Karten unverändert blieb, sooft man auch abhob. Mit diesem Grundgesetz der Kartenkunst ausgerüstet, führte ich Beerholm einen Kartentrick vor. Ein ziemlich kläglicher Versuch, und Beerholm war nicht Schauspieler genug, um das zu verbergen. Ich versuchte es dann noch bei meinen zwei besten – einzigen – Freunden, einem Jungen namens Fritz und einem anderen, von dem ich nur noch weiß, daß er grotesk verfaulte Vorderzähne hatte, stets an Bonbons kaute und ein unangenehmes Karamellaroma verströmte. Nur Fritz war ein wenig überrascht, als ich seine Karte – *Die Liebenden* – wiederfand, der andere zuckte mit den Achseln und wußte gar nicht, worum es gegangen war. Nach diesen Niederlagen legte ich das Tarot weg und vergaß mein ärmliches Debut in der Täuschungskunst. Keine Vorzeichen, keine Verheißung und keinerlei frühe Berufung.

In einer anderen Sache war es ganz ähnlich. In größeren Abständen wurde unsere Schulklasse in die Kirche geführt, zu ausgedehnten, musikreichen Messen. Der Priester trug einen pelzigen Vollbart, einen Strickpulli und Jeans, und er besaß eine Gitarre. Auf ihr spielte er, begleitet von einem Doppelgänger am Schlagzeug, und sang und war überhaupt sehr fröhlich. Wir mußten mitsingen und in die Hände klatschen und dazu rhythmisch mit den Füßen stampfen. Ich weiß wirklich nicht, was schlimmer war: die Peinlichkeit oder die Langeweile.

Ein Mädchen neben mir blätterte in einem Donald-Duck-Heft, was gar nicht einfach war bei all dem Klatschen und Stampfen; ich spielte mit Fritz eine Partie Schach auf einem winzigen Steckschachbrett und verlor. Das Gebäude um uns war von ergreifender Häßlichkeit: Viereckige Betonsäulen trugen eine flache Decke mit kreuzförmig angebrachten Neonröhren. An der Ostwand, hinter einem niedrigen Holzaltar, blickte ein kubistisch zersplitterter Christus unbehaglich um sich; er hatte ein gelbes Gesicht und sah aus, als hätte er Zahnschmerzen.

Und der Priester – er hieß übrigens Pfarrer Gudfreunt – geriet nun erst richtig in Begeisterung und begann, mit schwingenden Armen vor seinem Mikrofon auf und ab zu hüpfen. Dann hielt er eine endlose Predigt, niemand wußte worüber. Und schließlich sang er die Messe zu Ende.

Mehrere Monate lang hatte ich bei ihm Unterricht für meine erste Kommunion. Wir saßen in der Kirche, er ging auf und ab und stellte bedeutungsschwere Fragen. («Wenn du damals dabeigewesen wärst bei den Fischern, was hättest du denn gesagt zum Jesus? Nein, komm einfach raus und spiel es uns vor! Nicht nachdenken! Ganz spontan!») Einmal («Jetzt machen wir ein Soziogramm, ja?») stellte er eine Wandtafel vor uns hin und schrieb unsere Namen darauf. «Und jetzt macht jeder einen Pfeil von sich zu seinen drei besten Freunden!» Ich erinnere mich noch an die drei dünnen Linien, die auf mich wiesen, bloß drei, während andere ein Dutzend hatten. Und eine davon war auch noch gnadenhalber gezogen worden, von einem älteren Jungen, den ich kaum kannte. Ein andermal trug Pfarrer Gudfreunt die Geschichte vom verlorenen Sohn vor. Ich verstand den Beruf nicht recht, den der Sohn in der Fremde annimmt, und fragte zweimal nach: «Was bitte?» – «Schweinehirt.» – «Was?» – «Schweinehirt!» Ich hatte keine Ahnung, was das war; die Pointe der Erzählung – jener Sohn, der alles falsch gemacht hat, wird wieder angenommen, der andere, der immer da war und sein Bestes getan hat, wird zurückgesetzt – erschien mir grotesk. Irgendwo mußte es da einen Irrtum geben! Doch Gudfreunt vermied es, die Sache aufzuklären. Und mit Recht. Es gibt keinen Grund, Kinder mit der schrecklichsten von allen Wahrheiten zu behelligen. Der nämlich, daß Gott auswählt, ohne Gründe zu haben, daß Seine Gnade nicht erworben werden kann, durch keine Bemühung, durch keine Tat. Daß Seine Liebe ungerecht ist.

Die Zeremonie der Erstkommunion war unendlich lang und erfüllt von vielstrophigen Gesängen. Kurz davor hatte ich meine erste Beichte abgelegt, und Gudfreunt hatte meine Sünden von mir abgelöst. Es war seltsam, schuldlos zu sein: Meine Faulheit, einige nicht gemachte Hausaufgaben, böse Gedanken über dumme Bekannte – nichts davon hing mir mehr nach. Und so saß ich da, umplätschert von Gudfreunts Gitarrenklängen, mit einem Gefühl milder Langeweile und erhobenen Geistes. Der scheußliche Kirchenraum schien in einem matten heiligen Glanz zu liegen. Vor mir sang Pfarrer Gudfreunt, hinter mir wogte ein brummendes Gemisch von Stimmen; immer wieder konnte ich deutlich Beerholms Baß erkennen. Ich sah mich nach ihm um, da stand er und nickte mir zu. Und neben ihm Ella. Sie hatte noch drei Monate.

Gudfreunt leitete das Begräbnis. Seine Rede hielt sich in Bereichen des Allgemeinen, der Fall warf Probleme auf, die er lieber vermeiden wollte. So sagte er nur, daß alles einen Sinn habe, daß Trauer den Menschen forme und daß wir uns eines Tages, am Ende der Tage, wiedersehen würden im rosenfingrigen Sonnenaufgang unter den Mauern des Neuen Jerusalem. Die Sonne schien, Schmetterlinge umflatterten uns wie zum Leben erwachte Blumen. Ich sehe alles in einer Klarheit vor mir, mich selbst und Beerholm und die namenlosen, dunkel gekleideten Menschen und das längliche Loch in der Erde und die leuchtenden Farben der Kränze auf dem Holzkasten, als hätte meine Erinnerung es mit einer Eisschicht überzogen. Ich sehe mich dastehen, aufrecht, die Hände auf dem Rücken gefaltet und mit dem Wissen, daß nichts, was in der Welt geschieht, mich jetzt noch berühren kann. Ich weiß nicht, wie ich nachher nach Hause kam, ich weiß nichts über die nächsten Tage und Wochen. Aber von dem Begräbnis besitze ich noch jede Einzelheit. Seltsam: Ist unser Gedächtnis so löchrig, daß es bloß einige Augenblicke aus der davonfließenden Zeit filtern kann; oder besitzen wir tatsächlich nur selten und kurz die volle Kraft unserer Wahrnehmung? Was, wenn ich zurücksehe, bleibt mir denn wirklich?

Ein Blick aus dem Fenster in meinem ersten Winter in Les Vescaux. Die Sonne geht über dem Neuschnee auf, in dem noch kein Vogelfuß eine punktierte Linie gezogen hat. Die unverletzte weiße Fläche funkelt wie Feuer, die schräg einfallenden Strahlen tasten sich langsam und gelblich vorwärts, am Horizont leuchten die Gletscher, als ob sie mir, und nur mir, etwas sagen wollten. Die Verzweiflung darüber, daß ich sie nicht verstehen kann, die hilflose Sehnsucht.

Ein Spätnachmittagshimmel, ich weiß weder wo noch wann ich ihm begegnete; ein Krähenschwarm zieht vielstimmig vorbei, ein Vogel kippt plötzlich, die anderen folgen ihm, schwarze flatternde Körper wirbeln durcheinander, ordnen sich neu, stürzen in den Horizont und verbrennen im Abendrot.

Der Petersdom von oben betrachtet; ich stehe in Michelangelos Kuppel, und die Leute unten sind lachhaft klein im Miniaturgewitter ihrer Fotoapparate. Aus versteckten Fenstern fallen Lichtstrahlen in die Tiefe und zeichnen lange, geometrisch reine Geraden in den Raum, unberührt von der angeborenen Ungenauigkeit der Materie. Und ich überlege, ob ich mich an einer von ihnen festhalten soll und mich hinuntertragen lassen auf den mosaikbunten Marmorboden.

Mein erster Auftritt: Der Lichtnebel, das überirdisch helle Gleißen der Scheinwerfer, die schwarzen Silhouetten der Zuschauer in den ersten Reihen.

Du natürlich, immer und immer wieder du.

Und meine Volksschullehrerin, die ich frage: «Ist zwei mal fünf immer zehn? Warum immer?» Sie sieht, daß ich keinen Witz machen will, sondern ein Problem ausspreche, das mich tagelang beschäftigt hat. «Denk nach, Arthur! Weil fünf mal zwei zehn ist und die Hälfte von zehn fünf und ein Fünftel von zehn zwei.» Ich verstehe das nicht, und sie wiederholt es langsam. Ein Papierflieger segelt vorbei, neben mir flüstert jemand. Und auf einmal begreife ich. Begreife, warum zwei mal fünf zehn ist, jetzt und immer und zu aller Zeit, in dieser Welt und in der anderen. Ich sehe die Tafel mit ihren Kreideflecken und den Löschschlieren darauf, das abgetragene Gesicht der Lehrerin und die der stumpfen, verschlafenen Kinder und weiß, daß ich mir diesen Moment einpräge, daß ich ihn der fliehenden Zeit entreißen muß. Ich habe eine Wahrheit gefunden, die im Grund der Welt wurzelt, die mich nicht im Stich lassen wird und mit mir sein von jetzt bis ans Ende.

II

Bei unfreundlichem Wetter, im Abteil eines Schnellzugs, ausgestattet mit Schinkenbroten und mehreren Dosen Coca-Cola, verließ ich meine Geburtsstadt für immer. Ich war zehn Jahre alt.

Es regnete; eintönige Wiesen, einsam graue Häuser und mißlaunige Bäume zogen vorbei. Vor mir saß ein Mann und blätterte in einer Zeitung. Seine Frau neben ihm schälte ein hartgekochtes Ei, die Schalenstückchen rieselten auf den Boden. Sie gähnte, einmal, noch einmal und noch einmal, bis ihr Tränen in die Augen traten. Als sie bemerkte, daß ich sie ansah, lächelte sie und sagte: «Na, du!» Ich verzog keine Miene, sie wiederholte, doch diesmal fragend: «Na, du?» Jetzt mußte auch ich gähnen.

Ich war unterwegs, soviel wußte ich, in ein Internat im Land der Gletscher, Uhren und Taschenmesser, wo man mich erziehen sollte, bis aus mir etwas Besonderes werden würde, eine Ausnahmeerscheinung in der Gattung Mensch. All die Leute auf der Straße mit ihren Bärten, Schirmen und Hüten, sie waren das Normale. Ich würde anders sein. So ungefähr hatte ich Beerholm verstanden. Und wie auch immer: Keine Entfernung der Erde war groß genug, um mich von einem bestimmten braunen Grasfleck zu trennen.

Die Entscheidung, mich wegzuschicken, war erst wenige Wochen zuvor und völlig unerwartet gefallen. Damals machte ich mir kaum Gedanken darüber; heute weiß ich, daß Dinge dahintersteckten, von denen ich nichts ahnte. Drei Monate nach meiner Abreise heiratete Beerholm unsere Haushälterin. Es amüsiert mich, mir vorzustellen, was zwischen den beiden vorgegangen sein muß, ohne daß ich etwas davon bemerkte. Selbst für ein Kind war ich ziemlich naiv. Nach sieben Monaten kam das erste Kind, ein Mädchen, nach einem Jahr folgte ein zweites. Wenn ich in den Ferien zu Besuch kam, sah ich die beiden goldlockig über die Teppiche kriechen, unter den Blicken ihrer schönen Mutter und ihres alten Vaters. «Sie haben entzückende Enkel!» – der Alptraumsatz seiner Parkspaziergänge. Später, nach Beerholms ruhigem Tod, erfuhr ich, daß meine Erbschaft auf den vorgeschriebenen Pflichtteil eingeschränkt worden war, und auch der war durch verschwundene Sparbücher und rätselhaft geleerte Safes auf eine traurige Winzigkeit geschrumpft. Natürlich war ich enttäuscht, aber in rein finanzieller, nicht in persönlicher Hinsicht. Wenn der Staat mich als Beerholms Sohn betrachten will, ist das seine Sache. Ich bin es nicht, und ich war es nicht. Beerholm schuldete mir nichts.

Meiner Stiefmutter vor dem Gesetz begegnete ich Jahre später unerwartet und durch Zufall auf einem beängstigenden Cocktailempfang. Ich war Ehrengast und ganz unschuldig da hineingeraten und auf der Suche nach einem Fluchtweg. – Da stand sie vor mir. Gealtert. Ihre Haare waren gelb eingefärbt, und die Gier hatte ihr tiefe Falten in Mund und Hals geschnitten. Sie reichte mir die Hand, ich, unsicher, wie ich mich verhalten sollte, griff danach und schüttelte sie. Aber fühlte ich da nicht eine eigenartige Verkrampftheit, eine unruhige Spannung in ihrem Blick? Nicht schlechtes Gewissen, das sicher nicht, sondern etwas anderes: Angst! Mein Gott, sie hatte Angst! Eine niedrige, kreatürliche Furcht vor mir. Hatte ich nicht die Macht, ihren Schlaf zu zerbrechen, einen funkelnden Bannfluch um sie zu legen, eine Heerschar blutdürstiger Dämonen auf sie zu hetzen? Ich hatte sie nicht, leider. Aber ich genoß ein paar Sekunden lang ihr Zittern, dann ließ ich ihre Hand fallen und ging davon. Inzwischen hat sie wieder geheiratet, einen Produzenten kleiner Fernsehserien. Im Grunde ist es doch seltsam, daß der Vorrat an scheußlichen Menschen nie zur Neige geht; immer und immer erstehen sie neu, lachend, vielbeschäftigt, erfolgreich, die Fürsten Babylons. Sind denn wirklich auch sie erlöst …? Ja, vermutlich auch sie.

Doch zurück in meinen Zug. Hier sitze ich, esse ein Schinkenbrot und werde einem unbekannten Ziel entgegengetragen. Die Berge wachsen, die Wälder weichen zurück, das Gras versickert im Gestein. Bald bin ich in Les Vescaux.

Die Broschüren des Fremdenverkehrsamtes beschreiben den Ort sehr anschaulich: Gletscher unter einem hohen Himmel, Alpenblumen in Großaufnahmen, idyllische Hütten, halbverfallen und mit hölzernen Bauernfamilien davor (knorriger alter Mann mit Pfeife, schöne Frau im Trachtenkleid, drei Kinder, ein träumender Hund). Man sieht gewundene Bergwege unter graziösen Wasserfällen, die jedoch bloß eine irdische Anspielung auf die geschwungenen Regenbogen am Horizont sind. Grüne, blumengesprenkelte Flächen mit großzügig darüber ausgestreuten Kühen. Wenn man das Heftchen umdreht – dasselbe im Winter. Die Hütte mit Schnee auf dem Dach und einem festgefrorenen Rauchschleier über dem Schornstein. Ein Wasserfall, verwandelt in ein gläsernes Wunderwerk aus Eis. Und Schipisten voll kleiner fröhlicher Leute in hellen Anoraks, erstarrt in grotesken Verrenkungen und Schwungbewegungen. Aus einem Sessellift winkt ein kleines Mädchen. (Doch der Prospekt schweigt von den langen Regentagen, den grauen Herbsten, der menschenleeren Öde der Nachsaison.) Eine Luftaufnahme zeigt das ganze Dorf: ein paar Dutzend Häuser zusammengedrängt auf einer schmalen Felsterrasse. Da ist die Hauptstraße, eine dünne graue Schlangenlinie. Leider sieht man nichts von den Geschäften an ihrem Rand, Schmuckboutiquen, Markenkleidung, im Sommer geschlossen. Der blaue Fleck dort ist der Swimming-Pool im Garten des Grand-Hotels. Die Gebäude daneben, all die weißen Vierecke, sind auch Hotels, aber billigere. Auch die schwarzen Punkte sind Hotels, noch billigere allerdings, für Reisegruppen. Fast alle Häuser hier sind Hotels. Bis auf das längliche dort oben. Das ist das Internat.

Die *École Internationale des Vescaux*. Sie hat einen guten Ruf in der Welt, der hauptsächlich auf ihrem eleganten, wappengeschmückten Briefpapier ruht. In allem anderen nämlich ist sie mittelmäßig. Das Schulgeld ist so hoch, daß kaum jemals einer durchfällt; die Lehrer sind friedliche Leute mit den verschiedensten seelischen Gebrechen; der Direktor, Monsieur Finzel, ist ein pompöser

Schwachkopf. Aber das Dekor ist beeindruckend: eine weiße Fassade mit fein geschnitzten Fenstern aus dem vorigen ratlosen Jahrhundert. Lange Gänge mit ernsten Statuen. Früher auch Schuluniformen militärischen Schnitts, aber die sind seit ein paar Jahren abgeschafft. Fahnen der europäischen Nationen an hohen Masten über dem Fußballfeld. Und ein Club der Absolventen, bestehend aus einmal jährlich anreisenden alten Männern. Sie haben angenehme Erinnerungen, und mit Recht. An sich gefällt es hier allen. Es gibt wenig zu arbeiten, das Leben ist komfortabel, die Landschaft angenehm. Auch mir gefiel es.

Ich kam mit zehn und ging mit achtzehn. Acht Jahre also auf einem Schloß unter weißen Bergen und feurigen Sonnenaufgängen. Acht Jahre unter riesigen alten Bäumen, würdigen Trauerweiden, die sich über lichtgeflecktes Gras neigten, im Glanz einer hochbezahlten Alpensonne. Acht Jahre, in denen ich außerhalb der Welt lebte.

Ich teilte ein Zimmer mit einem Jungen namens Jean Braunhoff. Er war der Sohn eines Waffenhändlers und einer der nettesten Menschen, die ich jemals getroffen habe. (Auch seinen Vater lernte ich kennen, einen schüchternen kleinen Herrn, sehr höflich und ein wenig furchtsam.) Die Schüler kamen aus allen Ländern, viele lernten nie richtig Deutsch oder Französisch; es herrschte ein höchst unterhaltsames Sprachgemisch, ein charmanter babylonischer Irrsinn. Sicher, man verstand die Lehrer nicht; aber wen kümmerte es, bei dieser Aussicht! Bei diesen Marmorbergen, diesem unsagbar blauen Himmel mit seinen Edelsteinwölkchen. Und waren wir nicht alle reiche Erben?

Gut, *ich* war es nicht, aber das erfuhr ich erst später. Und so wanderte ich – immer in der Angst, ich könnte abrutschen und fallen, fallen – an blühenden Berghängen entlang, begann Tagebuch zu führen, gab es wieder auf, las in den Schriften von Platon und Leibniz und lernte Golf. Ich wurde sogar ziemlich gut, eine gewisse geometrische Schärfe darin gefiel mir. Im Schach dagegen war ich erbärmlich, und ob ich ein guter Kartenspieler gewesen wäre, kann ich nicht beurteilen; ich habe zwar oft gespielt, aber nie nach den Regeln.

Und wie war ich als Schüler? Mittelmäßig, höchst mittelmäßig. Oder um genau zu sein: ziemlich schlecht in allem, in Mathematik hingegen so gut, daß manches andere ausgeglichen wurde. Später, als es in Physik nicht mehr um blöde Kügelchen oder Hebel ging, sondern um Atome, Wellen und Lichtstrahlen, als also die Zahlen die Materie durchdrangen und das scheinbar Feste sich in geistige Relationen auflöste, verbesserten sich auch hier meine Leistungen. In den Fremdsprachen war ich schlecht, weil ich sie nicht beherrschte, in der Sprache, die ich beherrschte, war ich es, weil meine Lehrerin nur Adalbert Stifters Stil mochte und nicht meinen. In Chemie war ich mangelhaft aus Ekel: Ekel vor den obszönen Verrenkungen, Verfärbungen, Verformungen, die die blubbernde Materie vorführt, wenn man sie in ein heißes Reagenzglas sperrt, Ekel vor dem Dreck, der sich gebärdet, als wäre er lebendig. Ich hatte immer Angst, er könnte es tatsächlich werden. Und plötzlich würde aus der Asche, dem bräunlichen Abfall irgendeines Experiments, ein kleines vielfüßiges Tier krabbeln, entstanden durch eine Urzeugung in der warmen Brühe. All diese Verbindungen und Lösungen, die zusammengeschüttet wurden, damit etwas Neues entstand, etwas Stinkendes, Ätzendes, Scheußliches ... – Es war mir zuwider. Was ich mochte, waren nur die Verbrennungen. Kleine farbige Flammenspitzen, die an der Oberfläche einer kühlen Flüssigkeit entlangliefen. Das Aufstrahlen des Magnesiumpulvers, so hell, daß niemand hinsehen kann; und wenn es vorbei ist, ist nichts mehr da, nicht das kleinste weiße Körnchen. Der ganze Stoff hat sich verbraucht und ist zu Licht geworden.

Aber dann, eines Tages, geschah etwas Wichtiges.

Ich war ungefähr fünfzehn, und es war ein trüber Herbstnachmittag, einer von diesen Tagen, an denen es so aussieht, als gäbe es nichts in der Welt zu tun von heute an bis in die Ewigkeit, als Jean Braunhoff mir einen Kartentrick vorführen wollte. Er tat es aus Langeweile, und aus Langeweile sah ich zu, und draußen waren die Berge unsichtbar im Nebel, und dicke, feuchte Dunstschwaden quollen von unten aus dem Tal herauf.

«Ziehe einen Karte!» sagte er. (Sein Deutsch war besser als mein Französisch.) Ich tat es. Er hielt mir das Paket geschlossen hin, nicht aufgefächert, aber ich brachte es fertig, eine Karte herauszunesteln.

«Merke ihn dir und stecke ihn zurück!» Ich tat es. Pik vier, ich weiß es immer noch.

Jetzt hantierte er an dem Paket; an einer Stelle hatte er seinen kleinen Finger eingeklemmt, mit den anderen blätterte er einzelne Karten auf, sah sie an und preßte die Zähne zusammen. Plötzlich sah er auf und lächelte stolz. «Ich habe ihn! Die Herz sieben, nicht?»

«Nein», sagte ich. «Die Pik vier.»

«*Merde!*» rief er, warf das Paket zu Boden, wo es in zahllose dünne Blätter zersplitterte, drehte sich um, ging hinaus und ließ die Tür zufallen. Ich sah ihm mitleidig nach, dann begann ich, die Karten aufzusammeln. Sie da liegen zu sehen, so hilflos und verstreut, hatte etwas Unangenehmes. Ein eigenartiges Vorgefühl aus der Zukunft; denn später, viel später erst kam eine Zeit, da kaum ein Mißgeschick für mich so furchtbar war wie ein zu Boden gefallenes Kartenspiel. Und als ich sie alle wieder beisammen hatte, sauber und glatt auf einem Stoß, sah ich sie mir genauer an. Es war ein gewöhnliches, leicht abgenutztes Spiel, einunddreißig Karten, von der Sieben zum As, mit einem phantasielosen roten Rückenmuster. Ein Bube fehlte. Ich sah aus dem Fenster, und in diesem Moment begann es zu regnen. Tropfen zerschellten auf dem Fensterbrett vor mir, und darunter verwandelte sich die Erde in feuchten Schlamm. Ich gähnte, setzte mich auf mein Bett, legte die Karten aus. Achter zu Achtern, Damen zu Damen, Könige zu Königen. Herz, Karo, Pik, Kreuz. Die drei Buben waren ein Problem, ich legte sie zur Seite. Jetzt alle wieder auf ein Paket. Und abheben. Noch einmal. Und noch einmal. Ich blätterte das Paket auf, die Ordnung war erhalten. Das hatte ich erwartet. Was aber, wenn ich die Karten neu austeilte und wieder einsammelte …? Ich holte mir ein Blatt Papier und einen Bleistift, legte eine Tabelle an, zeichnete die Positionen der einzelnen Karten ein und versuchte es. Ich schrieb die neuen Positionen auf und verglich sie mit den alten; die Abfolge hatte sich umgekehrt. Wenn man aber nun in der einen Richtung auslegte und in der anderen einsammelte? Ich steckte mir den Bleistift in den Mund – er schmeckte nach Holz und knirschte zwischen den Zähnen – und versuchte es.

Nach einer Stunde kam Jean zurück. «Was du tust», fragte er, «mit meine Karten?»

«Nimm eine», antwortete ich, «irgendeine. Sieh sie dir an, merk sie dir und leg sie zurück!»

Er sah mich erstaunt an, dann die Karten, dann gehorchte er. Ich sammelte sie ein, legte sie wieder aus und fragte: «Siehst du sie noch?» Er nickte. Und ich sammelte sie wieder ein, hielt ihm das Paket hin und sagte: «Nimm die oberste!» Er nahm sie, betrachtete sie und schnaufte überrascht.

«Warum du mir nicht gesagt, daß du das kannst?»

«Weil ich es nicht konnte. Eben noch nicht.»

«Und wie du hast gemacht?»

«Das», antwortete ich, instinktiv den Gesetzen einer Kunst gehorchend, die ich noch gar nicht beherrschte, «kann ich dir nicht sagen.» Jean zuckte die Achseln, setzte sich und verschwand hinter einer Zeitschrift. Von Zeit zu Zeit räusperte er sich beleidigt. Armer Jean! Das Schicksal war nicht besonders gut zu ihm, auch später nicht. Sein Vater wurde ein paar Jahre danach auf einer belebten Hauptstraße von einem Scharfschützen erlegt, und ein ungeheures Vermögen verschwand spurlos in den Abgründen des Schweizer Bankensystems. Jean blieb zurück, ein Waisenkind, mittellos und allein. Heute hat er eine Zahnarztpraxis in Lyon, ist dick und trägt einen Schnurrbart.

Bei der nächsten Gelegenheit ging ich in die Buchhandlung von Les Vescaux, ein Geschäft, das vor allem Zeitun-

gen, Ansichtskarten, Zigaretten, Feuerzeuge und Bunt-
stifte führte. Das Buchsortiment bestand aus Bildbänden
mit Bergaufnahmen, ein paar Krimis und einer vergilben-
den Ausgabe von *L'être et le néant.*

«Ich möchte ein Zauberbuch bestellen», sagte ich. «Bestellen. Ein Buch über Magie. Mit Karten.»

Der Besitzer, ein großer, kahler Mann, der aus nichts als
Alter zu bestehen schien, sah mich lange an und dachte
nach. Schließlich, und sehr plötzlich, drehte er sich um
und schlurfte hinaus. Im Nebenzimmer hörte ich ihn kra-
men und husten. Schließlich kam er zurück, in der Hand
eine dünne Farbbroschüre: *Die Regeln des Jassspiels, fasslich
erklärt von Kaspar Almenblum.*

Aber schließlich brachte ich ihn dann doch dazu, aus
einem unerreichbar fernen Vorrat ein Buch kommen zu
lassen, das in etwa so aussah, wie ich es mir vorgestellt
hatte. Es hieß *Kartentricks* und war in rote Pappe gebun-
den und verfaßt von einem Schreiber, der außerdem
Werke über Gesellschaftsspiele und ein Buch mit dem Titel *Techniken beim Scrabble* verfaßt hatte. Viele Bilder, Fotos von lächelnden jungen Damen mit Karten in den
Händen, lange Erklärungen, einfache Tricks. All das hatte
etwas Dümmliches. Ich blätterte darin, kaute an meinem
Bleistift und wunderte mich über die Mischung von Ab-
neigung und Interesse in mir. Irgend etwas schien sich
hinter all der farbigen Lächerlichkeit zu verbergen, etwas
Schwieriges, etwas Bedeutsames.

Ich las das Buch vom Anfang bis zum Ende. Ich stu-
dierte die Tricks ein, alle, sie waren nicht schwer. Ich
kaufte vier verschiedene Kartenspiele und probierte, mit

welchem es am besten ging. Und dann war ich fertig. Und ließ das nächste Buch kommen. Und das nächste.

Warum? Machte es mir Spaß? Nicht sehr. War ich darauf aus, anderen etwas vorzuführen? Eigentlich nicht. Ich wollte mir wohl über etwas klar werden, über eine Möglichkeit, die in der Ferne Gestalt annahm, über eine irritierende mathematische Konstellation, über zwei Parallelen, die sich in einer nebligen Unendlichkeit berühren wollten.

Und langsam kam ich zu den besseren Büchern. Denen, die keine Bilder enthalten, allenfalls kühle technische Skizzen. In denen der Stil sachlich ist, ja von langweiligster Trockenheit. Und die Kunststücke kompliziert. Und die Griffe schwierig. Alle Eleganz, alles Überraschende muß im Effekt liegen, nichts davon in der Beschreibung. Ich las *Die Kunst der Ablenkung* von Jan van Rode, Diabellis Meisterwerk über die Techniken der falschen Spiegelung, Librikovs Abhandlung über die Farbmanipulation. Außerdem den klassischen Traktat von Giovanni di Vincentio, die meisten Bücher von Day Vernon, das ganz und gar unübertroffene Meisterwerk von Hofzinser und schließlich, ein Weihnachtswunsch, gnädig erfüllt von Beerholm, der ein schlechtes Gewissen hatte, die vierbändige *Enzyklopädie der Täuschenden Künste* aus dem achtzehnten Jahrhundert, in der Originalausgabe mit ihren grauen Kupferstichen und ihrem verwirrend komplizierten Indexsystem.

In aller Bescheidenheit, ich war begabt. Die einfachsten Techniken beherrschte ich bald: Schleifen, Dublieren, Falschabzählen. Schwierigkeiten hatte ich, wie jedermann, mit dem Filieren, mit dem Palmieren, mit der Volte. Die Volte, das versteckte Abheben – und zwar durch nichts anderes verborgen als große Geschwindigkeit. Erst Jahre später brachte ich sie reibungslos zustande, und dann hatte ich nichts davon, weil ich Karten kaum mehr verwendete.

Damals, im Internat, führte ich so gut wie nie etwas vor. Manchmal, wenn ich mir über eine Wirkung unsicher war, zeigte ich Jean ein Kunststück und manchmal auch Bob Williams, dem Erben einer irischen Schnapsbrennerdynastie. Aber darum ging es nicht. Es gibt bekanntlich die Gattung des Problemschachspielers, der kein Schachbrett anrührt und der den Wettkampf, das Einander-Gegenübersitzen mit aufgestützten Ellenbogen, das kämpferische Wettgrübeln, nicht ausstehen kann. Er liest Schachaufgaben in Zeitungen und läßt, gegnerlos und unter keiner anderen Spannung als der zwischen den Figuren selbst, in seinem Kopf großartige Partien ablaufen, während er in der lauwarmen Wirklichkeit Formulare ausfüllt, den Rasen mäht oder Papierschiffe faltet. Und so könnte man das, was ich machte, Problemzauberei nennen. Gelang mir etwas Ungewöhnliches, so genügte mir, daß es geschehen war und daß ich es gesehen hatte. Als ich nach einiger Zeit die grundlegenden Techniken beherrschte, begann ich, mir selbst Effekte auszudenken und die Abläufe zu konstruieren, die zu ihnen führten. Ich füllte zwei Schulhefte mit Notizen und ein großes ledergebundenes Tagebuch mit fertig entwickelten Kunststücken, aufgeschrieben in schwarzer, trockener, fleckenfreier Tusche. Ein paar davon waren wirklich brauchbar, und ich konnte sie später in meine Sammlung *49 Escamotagen* aufnehmen. Es amüsiert mich, sie heute wieder durchzublättern: Sie sind auf eine seltsame Weise kenntnisreich, sie sind das Werk eines routinierten Anfängers, der noch keine Ahnung hat und doch schon mehr Ahnung, als er haben sollte. Den «vierfachen Kartentausch», jenes Kunststück, das inzwischen ein Klassiker der Zauberkästen geworden ist, habe ich damals entwickelt. Nichts, was ich später zustande brachte, war mehr tauglich für Anthologien.

Doch warum das alles?

Ja, ich schulde dir eine Antwort. Aber es wird nicht leicht sein. Also gut, ich muß zum Dozenten werden. Ich hole tief Luft. Paß genau auf, verfolge jede meiner Bewegungen, verlier keines meiner Worte. Es ist schwierig genug.

Nehmen wir an, ich lasse jemanden eine Karte ziehen. Er soll sie sich merken, dann zurückstecken ins Spiel und mischen. Dann eine zweite Karte ziehen und vor sich auf den Tisch legen. Laut und deutlich den Wert seiner gemerkten Karte nennen, dann die, die vor ihm liegt, umdrehen. Es ist dieselbe.

Soweit gut; ein einfacher Effekt. Was ist passiert? Jemand wählt eine Karte aus und trennt sich von ihr, er läßt sie in die Menge der anderen zurückkehren, er kann sie nicht wiederfinden. Dann nimmt er eine andere, irgendeine aus der namenlosen Vielheit, und zu seiner Überraschung findet er in ihr seine Karte wieder; sie ist zu ihm zurückgekehrt. Dieses Ereignis widerspricht jeder Wahrscheinlichkeit, es ist unlogisch. Und doch: Ist es nicht in anderer Hinsicht durchaus einleuchtend und richtig, daß es dieselbe Karte ist; – ist es nicht sogar *vernünftiger* so …?

Die ganze sichtbare Welt in ihrer Vielfalt und Verschlungenheit mit ihrem ungeheuren Inventar an Menschen, Tieren, Hunden, Versicherungsagenten, Krokodilen, Blumen, Ozeanen, Sonnen, Planeten und Galaxien ruht auf einem Geflecht von Zahlen. Die Winkelsumme eines Dreiecks ist der zweier rechter gleich; ein Satz ist wahr oder sein Widerspruch, nicht aber ein dritter; ein Körper verharrt in seinem Zustand, solange keine Kraft auf ihn wirkt. All das trifft zu, auf dem sandigen Meeresgrund unter glotzäugigen Fischen, bei den rotblättrigen Schlingpflanzen des Urwalds und inmitten der sinnlos verglühenden Sterne, die niemand kennt. Allen Dingen schreibt ein unerbittlich klarer Geist seine Gesetze vor.

Nun, was also bedeutet die Wiederkehr der Karte? Was bedeutet Magie? Sie bedeutet schlicht, daß der Geist dem Stoff vorschreiben kann, wie er sich zu verhalten hat, daß dieser gehorchen muß, wo jener befiehlt. Was unvernünftig scheint, ist in Wahrheit Offenbarung der Vernunft. Was sich als Aufhebung der Naturgesetze gibt, ist eigentlich deren glanzvolles Hervortreten aus dem Gestrüpp des Zufalls. Die unsichtbare Welt der Formen und die nur zu sichtbare Welt des Formlosen verschmelzen für einen kurzen, kaum wirklichen Moment. Die unendliche Macht des Geistes zeigt sich eine Sekunde lang ganz unverstellt. Und mit ihr die Wahrheit, daß kein Ding in der Welt die Kraft hat, seiner inneren mathematischen Pflicht zu widerstehen.

Das ungefähr glaubte ich damals. Und glaubte es noch lange. Ob ich recht hatte, ist eine andere Frage; bald, sehr bald, werde ich es wissen. Ende des Vortrags.

Und dann kam das Schulfest. Im Erdgeschoß der *École Internationale des Vescaux* gibt es eine würdevolle Steinhalle mit Marmorboden und hoher Decke, getragen von breitschultrigen Engeltorsi mit ausdruckslosen Gesichtern. Darunter stehen lange Reihen wertvoller alter Holzbänke, und an den Wänden, in den kleinen bogenförmigen Nischen zwischen den Säulen, hängen Ölgemälde ernster Männer mit weißen Haaren, kurzgeschnittenen Bärten und runden Brillengläsern. In diesem Saal findet jedes Jahr die Aufnahmezeremonie der neuen Schüler statt und die Abgangszeremonie derer, die fertig sind. Und die Versammlung des Clubs der ehemaligen Absolventen. Und natürlich das Schulfest.

Keine sehr spektakuläre Sache. Anlaß ist entweder die Wiederkehr des Gründungsdatums der Schule (wie einige meinen) oder der Namenstag von Rousseau (wie andere behaupten), oder auch der Geburtstag von Monsieur Finzel, dem amtierenden Direktor. Wie auch immer, jedes Jahr findet eine offizielle Feier statt, eingeleitet durch eine lange Ansprache des Direktors und eine noch längere des Vorsitzenden des Elternverbandes – meist extra angereist aus New York oder einer anderen fernen Spiegelstadt – und eine kurze, stotternde, schwitzende Rede des Schulsprechers. Dann singt der Schulchor ein paar vielstimmige Lieder, die Theatergruppe zeigt etwas Ausgefallenes, und mit solchen Darbietungen geht das Fest zu Ende. Danach haben alle bis Mitternacht Ausgang, was niemandem nützt, da es November ist, der Ort ausgestorben und kein einziges Lokal mehr geöffnet.

Und es war auch diesmal so. Sie sangen vier Choräle aus dem siebzehnten Jahrhundert, siebenstimmig und arabeskenreich. Dann spielte Monsieur Gamouche, der Musiklehrer, zwei Sätze Telemann auf einem kurzatmigen Harmonium. Und einige Jungen, die alle Schauspieler werden wollten (einer gräbt heute nach Öl, einer baut Brücken, einer verkauft Kühlschränke, die übrigen sind Anwälte), spielten einen frühen Einakter Corneilles, einstudiert unter der Regie von Herrn Bellermann, dem Französischlehrer.

Die Langeweile breitete sich aus wie Tinte, geträufelt in warmes Wasser. Gesichter schmolzen in die Länge, Köpfe sanken abwärts, Gähn- und Flüsterlaute und kleine Zettel liefen die Reihen auf und ab. Mit der Zeit hörte auch das auf, und nur eine milde, verzweifelte Müdigkeit blieb zurück. Dann war ich an der Reihe.

Ein Schüler aus einer höheren Klasse, flüchtig bekannt mit Jean Braunhoff, hatte vor ein paar Monaten dem Direktor gegenüber meine Fähigkeiten erwähnt, – und so war ich eines ahnungslosen Morgens überraschend in das große, gutbeleuchtete Ebenholzbüro gerufen worden. Finzel thronte hinter seinem Schreibtisch, lächelte auf mich herab und sagte:

«Arthur, würdest du mir einen Trick zeigen?»

Eine Weile starrte ich fassungslos zu ihm auf; ich hatte ein Verhör erwartet oder eine Strafe für eine furchtbare und mir unbekannte Schuld oder eine schreckliche Nachricht – aber nicht das. Dann nickte ich, räusperte mich in die erwartungsvolle Stille, zog ein Paket Pokerkarten aus der Tasche und fragte: «Möchten Sie mischen?»

Und jetzt war es soweit. Der große menschenvolle Saal wartete auf meinen Auftritt. Finzel gab mir ein Zeichen. Ich beugte mich vor, befürchtete einen Moment lang, daß meine Beine sich als zu schwach erweisen würden, aber sie trugen. Langsam ging ich auf das Podium zu – Finzel machte eine ungeduldige Handbewegung: schneller! – und ich stieg auf die erste Stufe. Die zweite. Die dritte. Ich war oben. In meinen Ohren rauschte ein ferner Ozean, einige Tonnen Luft preßten sich gegen meine Brust, mein Herz klopfte den Metronomtakt zu der Stille hinter mir. Ich drehte mich um. Da waren sie: Köpfe, Köpfe, Köpfe; fremd, starrend, seelenlos. Der Raum war gesprenkelt mit kleinen grauen Punkten, alles Augen und alle auf mich gerichtet.

«Ich brauche …» sagte ich und hörte, daß ich zu leise war. Also: Räuspern. Noch einmal Luft holen, viel Luft. Gut. «Ich brauche einen Freiwilligen!»

Warten. Diffuses Leuchten dringt durch die alten Milchfenster; aus dem majestätischen Halbdunkel des Saals scheint das Licht wie weißer Dunst aufzusteigen und in dicken Schwaden an der getäfelten Decke zu hängen. Von der Wand gegenüber sieht eine Voltaire-Büste mit belustigtem Totenkopfblick zu mir herüber. Jetzt heben sich Hände. Einige bei den Kleinen, ein paar in der Mitte und – ja, zwei sogar ganz hinten bei den Ältesten. Und eine in der ersten Reihe. Monsieur Finzel. Er winkt mir zu und grinst verschwörerisch, jetzt zwinkert er sogar. Was bleibt mir übrig: Ich verbeuge mich in seine Richtung und bitte ihn mit einer Handbewegung zu mir herauf. Er steht auf und kommt. Unterdrücktes Lachen, zuerst in den vorderen Reihen, dann im ganzen Saal.

Jetzt steht er neben mir. Eingehüllt in Rasierwassergeruch, mit blitzender Krawatte, das Gesicht rot vor Neugier. «Und jetzt?» fragt er leise.

«Jetzt», sage ich, «ein Kartenspiel.» Und hebe ein Paket in die Luft, hoch über meinen Kopf. Es hat Übergröße, zwanzig mal dreißig Zentimeter, Spezialkarten für Bühnenshows. Nach einer bangen Sekunde kommt das erwartete Gelächter. Ein Gefühl von Wärme rinnt durch meine Wirbelsäule.

Ich schlage einen Fächer, er gelingt ganz gut: ein großer, runder Dreiviertelkreis in meiner Hand. Ich halte ihn vor Finzels Bauchwölbung und sage: «Nehmen Sie bitte vier Karten! Vier! Karten!» Wieder Lachen. Es gelingt. Es gelingt!

Finzel läßt sich Zeit. Er kneift die Augen zusammen und mustert die Kartenrückseiten, als wollte er Geheimzeichen entdecken, listig angebrachte Markierungen, irgend etwas. Jetzt greift er zu, berührt eine Karte, zieht die Hand wieder zurück, schnauft nachdenklich, nimmt eine andere. Und zieht sie aus dem Fächer. Dann noch drei, zwei aus der Mitte und die oberste. (Viele Leute nehmen die oberste; aus irgendeinem Grund halten sie das für schlau.) Jetzt hält er alle vier in der Hand, die blaukarierten Rückseiten nach oben gerichtet. Er will sie umdrehen, ich nehme sie ihm schnell weg und rufe laut: «Danke! Vielen Dank!»

Ich streiche beiläufig mit den Karten über den Paketrücken, dann, in Fortsetzung derselben Handbewegung, hebe ich sie in die Luft. Alle sehen die vier Rückseiten, ich spüre, wie sich jeder Blick im Raum auf die vier Pappscheiben in meiner Hand richtet. Sehr viele Blicke, die sich auf einen Punkt konzentrieren, kann man tatsächlich fühlen. Es ist wie ein sanftes elektrisches Kribbeln, ein schwaches Aufglühen. Ausatmen. Genieße den Augenblick. Alles Schwierige ist vorbei, jetzt kann nichts mehr schiefgehen.

«Ich habe Sie nicht beeinflußt? Haben Sie wirklich frei gewählt?»

Finzel lächelt herablassend. «Aber natürlich!»

Ich lächle auch. Und langsam, ganz langsam drehe ich meine Hand. Und die Bildseiten der Karten nach vorne. Es sind die vier Asse. Alle vier. Finzel murmelt ein erschrockenes «Oh!», eine Sekunde lang ist es vollkommen still, kein Scharren, keine Bewegung. Und da, während sich die ersten Hände zum Applaus heben und sich auseinanderbewegen, um wieder zusammenzutreffen, – genau da, einen Moment, bevor der Lärm des Klatschens losbricht, eine Stimme. Eine Kinderstimme aus der dritten Reihe, wo die Kleinsten sitzen, kühl, sachlich:

«Ich hab's gesehen. Er hat die Karten ausgetauscht. Bevor er sie hochgehoben hat.»

Und dann der Applaus. Aber alle haben es gehört. Alle. Es ist, als ob schwache Erdbebenwellen durch den Boden laufen. Der Raum entfernt sich von mir und rückt in eine verkrümmte Weite, wie durch eine Linse gesehen. Ich bringe es irgendwie fertig, mich zu verbeugen. Ich spüre, wie mir Finzel auf die Schulter klopft; er lächelt mitleidig. Ich steige hinunter, alle drei Stufen. Gesichter wenden sich mir zu, ich sehe sie nicht an. Ich kann jetzt niemanden ansehen, ich kann überhaupt nie mehr jemanden ansehen. Meine Wangen und Ohren brennen, ich muß rot sein, entsetzlich rot, knallrot. Da ist die Tür. Ich öffne sie, trete auf den Gang hinaus. Er ist lang und leer und dunkel. Endlich allein. Endlich keine Menschen.

Auf der Hauptstraße war niemand, bloß ein rotnasiger Bauer mit einer Schaufel. An den toten Hotels war kein Licht zu sehen, die Fensterläden waren geschlossen, die Leuchtschriften abgeschaltet, die Auslagen der Geschäfte leer. Die Nacht wölbte sich über meinem Kopf, in der Ferne malten die Gletscher unförmig graue Flecken auf den Himmel. Ich spürte das Schulgebäude hinter mir wie eine schmerzende Stelle an meinem Körper. Der Wind rauschte kraftlos, einige Bäume mit noch ein paar zerknitterten Blättern ächzten beleidigt. Hoch oben hing ein runder Kupfermond, seit Ewigkeiten offizieller Adressat romantischer Gesänge und trauriger Gebete. Ich mußte nur geradeaus gehen, einfach immer geradeaus. Der Weg würde enden, doch ich mußte weitergehen. Unter meinen Schuhen würde das Gras knistern, der Wind, dem keine Häuser mehr den Weg verstellten, würde stärker werden und kälter. Dann würde der Boden abschüssig werden, ein wenig nur, und plötzlich würde vor mir das Tal glitzern, ein Klumpen funkelnder, blinkender, auf und ab ziehender Lichtpunkte in schwarzem Samt. Und auf einmal würde kein Boden mehr da sein, nur noch Wind. Eine, vielleicht zwei, vielleicht drei Sekunden würde es noch dauern; wahrscheinlich würde ich die Lichter noch auf mich zutanzen sehen. Und dann würde es vorbei sein, keine Lächerlichkeit mehr, keine Scham.

Ich war nahe daran, es zu tun. Eine Viertelstunde etwa stand ich am Rand dieser Entscheidung, eine ganze Viertelstunde, fünfzehn tickende Minuten, neunhundert Sekunden. Dann drehte ich mich um und ging zurück. Einige Kollegen streunten jetzt die Straße entlang, standen in den Hauseingängen und rauchten heimliche Zigaretten. Jemand rief mir etwas zu, ich kümmerte mich nicht darum.

Jean lag auf seinem Bett und las. Als ich hereinkam, sprang er erschrocken auf. Wie gut es gewesen sei! Wie beeindruckend! Und erstaunlich! Es war furchtbar peinlich, und ich sagte kein Wort. Dann ging ich schlafen.

Am nächsten Tag sammelte ich alle meine Bücher über Zauberei ein, um sie zum Müllcontainer zu bringen. Hofzinser, Vernon, Rode, Diabelli, Librikov, – bei der Enzyklopädie stockte ich. Sie war so alt und schön und kostbar, daß ich es nicht fertigbrachte. Und da ich sie behielt, mußte ich die anderen auch behalten. Ich legte sie alle in einen Pappkarton und klebte ihn zu. Dann verstaute ich ihn ganz oben auf meinem Schrank, und dort blieb er für die nächsten Jahre und sammelte Staub. Die Karten schenkte ich Jean. Er versuchte manchmal damit Patiencen zu legen, aber dann ließ er es, weil sie niemals aufgingen.

III

Beerholm war gealtert. Sein Kopf war runder geworden, sein Schnurrbart dünner, seine Brillengläser dicker. Beim Gehen atmete er schwer; es klang wie das Zischen eines Eisenbahnwaggons, der seine Türen öffnen will. Aber er hielt sich noch immer sehr gerade, und er telefonierte immer noch stundenlang, und ich wußte immer noch nicht mit wem. Das Haus war neu eingerichtet: Es gab Tapeten, neue Teppiche, eine Unmenge gläserner Gegenstände, mehrere Fernseher und sogar ein mächtiges Zimmerfahrrad, auf dem man in die Pedale treten konnte und sich doch nicht vorwärtsbewegte. Mein altes Zimmer stand nicht mehr zur Verfügung, es gehörte jetzt zwei kleinen Mädchen. Aber es gab mehrere Gästezimmer, und eines davon bekam ich. Es mußte vor kurzem von einem Raucher bewohnt worden sein, in den Gardinen hing noch ein scharfer Zigarettengeruch. Auf einem kleinen Tisch stand ein blauer Porzellanelefant und balancierte lächelnd auf seinen Hinterbeinen.

Auch der Garten war jetzt gepflegter. Der Rasen war gemäht, die Sträucher zurechtgeschnitten, die Bäume gestutzt. Mehrere Blumenbeete waren angelegt worden und darin eine malerische Sammlung von Tulpen und Narzissen, umkreist von hungrigen Bienen, Marienkäfern,

Hummeln. Trotzdem: Der Fleck war noch da. Jemand hatte das tote Gras Halm für Halm ausgerissen und neues gesät, aber dieses hatte eine dunkle, kräftigere Farbe, und so waren die Umrisse noch sichtbar.

Ich wollte nur eine Woche bleiben, höchstens zwei. Und dann weiterfahren nach Florenz, wo Jean Braunhoffs Vater eine kleine Villa hatte. Beerholms neue Frau, meine Stiefmutter vor dem ahnungslosen Gesetz, war plötzlich sehr höflich zu mir; früher war sie das nie gewesen. Die beiden Mädchen musterten mich neugierig aus der Ferne; ich kann mich nicht erinnern, je mit einem von ihnen gesprochen zu haben.

Es war drei oder vier Tage, nachdem ich angekommen war. Beerholm saß an seinem Schreibtisch. Die Tischlampe warf einen blassen, gelben Lichtkreis auf einen Stoß grauer Papiere, bedeckt mit den Geheimzeichen des Geschäftemachens. Als ich eintrat, drehte er mir langsam den Kopf zu. Er schien nichts zu tun, nur dazusitzen und zuzusehen, wie die Schatten im Raum länger wurden.

«Hast du Zeit?» fragte ich.

«Sicher», sagte er.

Ich schloß die Tür hinter mir, zog einen Stuhl heran und setzte mich. Er betrachtete mich stumm; sein Walroßbart schimmerte weißlich.

«Ich muß mit dir sprechen.»

Er nickte.

«Über das, was ich nach der Schule tun werde. Nächstes Jahr, wenn ich fertig bin.»

«Deinen Beruf?»

«Ich bin nicht sicher, ob du es so nennen würdest.»

Er lächelte. «So schlimm also?»

«Das hängt vom Standpunkt ab.»

Er sah mich an und wartete. Ich holte tief Luft. Also gut, es mußte gesagt werden.

Während ich sprach, verdichtete sich draußen die Dämmerung zur Nacht. Beerholm saß aufrecht da und hörte mir zu. Sein Gesicht bewegte sich nicht, nur manchmal klappten seine Augen zu und öffneten sich wieder. Die Silhouette eines Baumes vor dem Fenster verschmolz mit ihrem schwarzen Hintergrund. Am Himmel blinkte ein Stern auf und zog langsam davon. Nein, bloß ein Flugzeug.

Als ich fertig war, lehnte ich mich zurück und wartete. Ich sah nach der Wanduhr: Die Zeiger hatten sich fast nicht weiterbewegt. Zehn Minuten nur. Ich hatte das Gefühl, viel länger gesprochen zu haben.

Beerholm nahm einen kleinen Bleistift, drehte ihn zwischen den Fingern und betrachtete ihn, als wäre er etwas Besonderes. Dann legte er ihn weg.

«Bist du sicher, Arthur?»

«Ich glaube schon.»

«Das mit der Kurve und der Linie ... Ich bin nicht sicher, ob ich das verstanden habe. Mir kommt es etwas verwirrt vor. Aber wie du meinst.»

«Du hast nichts dagegen?»

Er nahm wieder einen Bleistift – denselben – und begann von neuem, ihn hin und her zu drehen. «Sollte ich?»

Ich zuckte die Achseln. Eine Weile war es still, eigentlich war jetzt alles besprochen. Beerholm untersuchte noch immer den Bleistift, ich hörte ihn deutlich ein- und ausatmen. Und auf einmal hatte ich das Gefühl, daß ich ihm etwas sagen mußte. Etwas, das mit den vielen Jahren zu tun hatte und mit Schutz, Kleidung, Unterkunft, dem Internat, den Geschichten vor dem Einschlafen und unseren Spaziergängen durchs Haus. Aber wie bedankt man sich für all das, und noch dazu bei einem Fremden? Ich wartete eine halbe, eine ganze Minute, in der Hoffnung auf eine plötzliche Eingebung, die mir die richtigen Worte schenken würde. Sie kam nicht, Eingebungen sind selten. Und so sagte ich nur etwas von «nicht länger stören» und stand auf. Und ging hinaus.

Zwei oder drei Tage blieb ich noch. Mein Paß mußte verlängert werden; ich hatte luftlose Amtsgebäude aufzusuchen, hinter hustenden Leuten in einer Schlange zu stehen, unfreundlichen Männern mit Gewalt über eine Reihe von Stempeln unsinnige Fragen zu beantworten. Auf dem Heimweg schlenderte mir ein bärtiger Mann entgegen, der mir bekannt vorkam. Bei meinem Anblick riß er seine Augenbrauen in die Höhe und lächelte erstaunt. Es war Pfarrer Gudfreunt.

«Stefan!» rief er. «Das ist aber lange her! Wie geht's?»

«Gut», sagte ich. «Arthur.»

«So? Ach ja, sicher. Fein! Und was tust du jetzt so?»

«Nächstes Jahr bin ich mit der Schule fertig. Dann werde ich studieren.»

«Wie die Zeit vergeht … nicht wahr? Was denn?»

Ich überlegte kurz. «Chemie. Technische Chemie.»

«Tat-sächlich?» Er riß den Mund auf und schüttelte aufgeregt den Kopf. Er trug die gleichen Jeans wie früher, wahrscheinlich sogar dieselben. Sein Bart hatte einige graue Stellen. Wie die Zeit vergeht.

«Das klingt aber interessant!»

«Ja», sagte ich. «Sehr interessant.»

Gudfreunt sah mich an, und ein Anflug von Unsicherheit wanderte durch seinen Blick. «Na gut», sagte er. «Na gut, dann ... dann noch alles Gute! Auf Wiedersehen, Arthur!» Und er drehte sich um und ging davon. Ich blickte ihm nach und sah zu, wie sein Strickpullover davonschaukelte. Dann bog er um eine Ecke und war verschwunden. Mit etwas schlechtem Gewissen ging ich heim.

Und dann, bald darauf, fuhr ich ab. Ich schüttelte Beerholm die Hand, entkam irgendwie den umarmungsbereit ausgestreckten Händen seiner Frau und tätschelte den zwei Mädchen ihre gelben Köpfe. Es war einer der letzten Augusttage, und noch dazu gerade der, an dem man an einer feinen Magnetschwere spürt, daß es nicht mehr lang dauert. Noch blüht alles, und die Wespen und die Käfer sind aufgeregt, aber in all das mischt sich seltsames Unbehagen. Jedes Jahr hält diesen Tag bereit, und plötzlich ist er da, und man weiß nicht woher und warum gerade heute. Vermutlich – aber du merkst wohl, daß ich nur nach Ausreden suche – war wohl das der Grund, ein Grund, warum ich es so eilig hatte wegzukommen und warum ich ging, ohne mich noch einmal umzudrehen, ohne zu versuchen, Beerholm noch zu sagen, was ich hätte sagen müssen. Wenn ich gewußt hätte, daß ich ihn nicht mehr sehen sollte, daß es die letzte Gelegenheit war, – hätte ich es dann versucht? Ach, was weiß ich! Daß es Dinge gibt, die man niemals nachholen kann, Gelegenheiten, die vorbeigehen und nicht wiederkommen, bis dieser große, sternenverklumpte Kosmos sich in Licht auflöst, das ist etwas, das einen in die Nähe des Irrsinns treiben kann. Wenn ich mich wenigstens umgedreht hätte . . .! Ich weiß genau, daß meine Erinnerung dieses letzte Bild Beerholms, wie er in der Haustür steht und mir nachsieht (ob er winkte? nein, nicht Beerholm) aufbewahrt hätte. Ich habe natürlich viele Bilder von ihm, aber gerade dieses, das wichtigste, fehlt. Meine Sammlung ist unvollständig und wird es bleiben.

Ich hatte noch etwas Zeit, bevor mein Zug abfuhr, und so ging ich auf den Friedhof. Zu Ellas Grab. Ich war seit dem Begräbnis nicht dort gewesen, und mit Recht. Was mich erwartete, war ein Stein. Kühler, dunkel gemaserter Marmor, in goldener Schrift Ellas Name darauf, ihr Geburts- und Todesdatum, das war alles. Na gut, was hatte ich denn erwartet? Ich weiß es nicht. Aber das hier war ein Stein und nichts weiter, und mir wurde nicht klar, was er mit Ella zu tun haben sollte. Sicher, irgendwo unter diesen farblosen Blumen lagen ein paar verformte Knochen und ein auf seltsam kunstvolle Art durchlöcherter Schädel; Dinge, die Ella einmal mit sich herumgeschleppt hatte. Nun, was weiter? Wie konnte dieses Zeug, diese Handvoll skurriler Schmutz sich anmaßen, Ella gewesen zu sein? Hier lag ein Irrtum vor, ein Mißverständnis, das aufgeklärt werden mußte. Vielleicht würde ich es selbst aufklären können, irgendwann einmal. Oder auch schon bald. Ich drehte mich um und schlenderte davon, an den endlosen Reihen salutierender Steine vorbei. All diese alltäglichen Namen! Man glaubt, der Tod wäre etwas Besonderes, aber er ist profan wie ein Telefonbuch. Die meisten Steine waren neu und gut poliert und glänzten beflissen in der Sonne. Aber ein paar waren auch verwittert, behängt mit Efeuranken und beinahe schön.

Nach einem enttäuschenden Besuch in Florenz (Hitze, Gestank, hemdenlose, haarige Urlauber) fuhr ich wieder nach Les Vescaux. Mein letztes Jahr begann, und an seinem Ende erhoben sich drohend die Abschlußprüfungen. Finzel machte ein großes Ereignis daraus; schon zu Beginn des Jahres hielt er uns einen langen Vortrag voll gewichtiger Adjektive. Bald darauf ließen die Bäume ihre ersten verbrauchten Blätter fallen, und ihre Kronen nahmen hundert verschiedene Gelbtöne an. Riesige Bauernkinder mit bedrohlich braunen Hunden neben sich trieben gleichmütig blinzelnde Kühe zu Tal. Nachts rüttelte der Wind an den Fenstern, schleuderte das Laub von den Bäumen und riß die Idylle mit sich davon. Arkadiens Bäume wurden kahl. Und dann kam der Winter.

Aber genug davon, genug der Naturbeschreibungen! Ich kann es wohl nicht länger hinausschieben, keine Verzögerungstechnik wird es mir ersparen. Also gut, ich werde es sagen. Was wollte ich studieren? Ich wollte Theologie studieren.

Ja wie bist du denn nur – die Frage, die jeder vernünftige Mensch jetzt stellen möchte und auch stellt – auf diese Idee gekommen? Und wann? Und vor allem auch: Warum?

Ich weiß, ich weiß. Genau das habe ich kommen sehen. Es ist ja auch ganz richtig so. Man muß in der Lage sein, über seine Entschlüsse Rechenschaft abzulegen; zum Teufel, wo kämen wir denn hin, wenn das anders wäre …!

Also, ich muß wohl reden. Ich könnte nächtliche Erleuchtungen, unaussprechliche seelische Gewißheiten und durch meine Träume hallende Worte der Berufung geltend machen, – aber das wäre Unsinn. Nichts davon gab es. Kein Engel hat sich je die Mühe gemacht, mich aufzusuchen. Ich weiß nicht, wie Gottes Stimme klingt. Ich wurde nie berufen.

Erinnerst du dich noch an deine Schulzeit? An die analytische Geometrie? Keine Angst, ich habe nicht vor, dich mehr als nötig zu langweilen. Aber ich muß dir eine bestimmte Kurve schildern und ihre seltsamen Erlebnisse. Ein einfaches Beispiel: die Funktion $y = 4/x$. Setzen wir für x vier ein, bekommen wir ... – richtig: eins. Bei drei erhalten wir vier Drittel oder auch 1,3 periodisch, eine dumme Zahl ohne Humor oder Eleganz. Nehmen wir zwei ... – jawohl, Ergebnis auch zwei. Eins: Ergebnis vier. Und null?

Eben. Ich möchte wissen, ob es einen Menschen gibt, dem es nicht durch und durch schwindlig wird, dem nicht kalte Schauer durch den Magen laufen und der nicht plötzlich die eisige Weite des Weltalls um sich spürt, wenn er nur ernsthaft versucht, sich vorzustellen, was mit der Vier geschieht, wenn sie durch null dividiert wird. Der Mathematiker macht es sich leicht und schreibt mit dünner Feder *n. d.* neben die Rechnung, *nicht definiert*, das Eingeständnis, daß seine Wissenschaft aus den Fugen springt, wenn sie versucht, den puren Schrecken und die reine Ewigkeit zu berühren. Und die Geometrie? Sie zeichnet auf, wie die Kurve auf beiden Seiten des Koordinatenkreuzes langsam ansteigt, um sich plötzlich, je näher sie der Achse kommt, stärker und stärker zu neigen und

dann, auf den letzten Millimetern, in die Höhe zu schie-
ßen und über die Blattkante hinaus ins Nichts. Man nennt
das eine *Unendlichkeitsstelle*, und die Figur, die entsteht,
sieht den Umrissen einer dickbauchigen Blumenvase ähnlich, deren Hals, anstatt anständigerweise nach ein paar
Zentimetern zu Ende zu sein, sich irgendwo im wolkigen
Himmel verliert. Ich weiß noch, wie ich mich an den Kan-
ten meines schlingernden Tisches festhalten mußte, als ich
zum ersten Mal den Lauf dieser armen und einfachen
Kurve verfolgte: Sie kommt aus dem Bereich niedriger
Alltagszahlen, steigt vor unseren Augen auf, nimmt für
einen Moment den Wert «unendlich» an und sinkt wieder
ab, dorthin, woher sie gekommen ist. Aber sie war dort,
um Himmels willen, sie war doch *wirklich dort*! Unter unserem Blick hat eine Linie, das Produkt unserer kühlen Berechnung, die Grenzen der Welt überwunden und kehrt
nun wieder, als wäre weiter nichts passiert.

Oder die irrationalen Zahlen. Womit multiplizieren wir
eine einfache Strecke, wenn wir sie dazu bringen wollen,
sich einmal um sich selbst zu drehen und einen Kreis zu
erzeugen? Man spricht lässig von Pi und malt einen grie-
chischen Buchstaben, der aussieht wie ein Fliegenpilz von
der Seite, aber was ist das eigentlich? Ja, was wirklich …?
Eine Drei mit unendlich vielen Stellen hinter dem
Komma, und zwar unendlich vielen *verschiedenen*. Jede
Kreisberechnung, von wem auch immer durchgeführt
und wann und wie, ist ungenau, weil ihr eine Zahl zugrunde liegt, die sich nicht fassen läßt, auf keine Art, unter
keinen Umständen. Man spricht von «Näherungswer-
ten»; doch das bedeutet schlicht, daß man andere Zahlen

nimmt, die in der Nähe der unberührbaren liegen und ihr äußerlich ein wenig ähnlich sehen. Dennoch, zwischen ihnen und ihr liegt eine düstere, ziffernerfüllte Unendlichkeit, die nicht überwunden werden kann. Pi, vom Geist erschaffen, entzieht sich dem Geist; er kommt nicht mehr an sie heran. Ihr Professoren, umwölkt von Kreidestaub, antwortet mir! Ist es nicht offen sichtbar, wie hier, noch vor allen Dingen, aller Materie schon etwas Beunruhigendes in die Welt tritt? Etwas wie eine frühe Spiegelung, eine Vorahnung des Bösen? Und jene kleine Kurve, die die Unendlichkeit durchquert, – erlebt sie nicht eine verzerrte und geometrische Form von Auferstehung?

Weißt du noch, was eine Asymptote ist? Eine Linie, die auf eine Gerade zuläuft und ihr immer näher kommt und sie doch nie, und selbst in der Ewigkeit nicht, erreicht. Würde sie es fertigbringen, dann würde sie selbst zu einer Geraden werden, und nichts anderes ist ihr Ziel, aber sie wird es niemals schaffen; ihre Krümmung – das läßt sich ausrechnen – wird stetig abnehmen, aber nie verschwinden. Woran erinnert sie? An die Erbsünde, die ursprüngliche, unverständliche, nie überwindbare Trennung von Gott? Welches Ereignis, so fragen sich blasse Gymnasiasten, würde es ihr erlauben, gegen alle Vernunft das zu erreichen, was Gegenstand ihrer ärmlichen bleistiftgrauen Sehnsucht ist ...?

Was mir auffiel, damals, in meiner ersten und vorsichtigen Beschäftigung mit der Zahlenwelt, war jedenfalls das: Daß es im Inneren der Ziffern, Gleichungen und Bruchstriche, schillernd und hart wie die Perle im Fleisch einer schläfrigen Auster, etwas Fremdes gibt. Etwas, bei dessen Betrachtung es einem zumute werden kann wie jemandem, der zwischen zwei Spiegeln steht oder von einem hohen Aussichtspunkt (einer Terrasse, dieser Terrasse) in die Tiefe blickt. Glaub mir: Es gibt geringere Ursachen für Alpträume als die Entdeckung, daß im Herz der Mathematik der Keim des Wahnsinns liegt.

Oder der Offenbarung. Und die mußte ich wählen; was blieb mir denn anderes übrig, so wie die Dinge lagen. Ich war getauft und gefirmt und all das, aber trotzdem nicht besonders christlich erzogen worden; Belangen der Seele und der Metaphysik stand Beerholm mit friedlicher Gleichgültigkeit gegenüber. Meine Bekehrung fand über karierten Schulheften und rotem Millimeterpapier statt, mein Streben zu Gott war in seiner Wurzel ein mathematisches. Sicher, es gab wohl auch noch andere Gründe. Jeder Sonnenuntergang über den Alpen (und ich erlebte deren etwa zweitausendvierhundert) mit seinen feuerübergossenen Gletschern und seinem Kirschenhimmel, jede sternenklare Milchstraßennacht kann genügen, um den hartgesottensten Salonheiden zu bekehren. Jede Aussicht von einem Berggipfel, selbst wenn dort ein Touristenlokal mit Panoramabalkonen liegt, weckt etwas, das von weitem schon mit einem religiösen Gefühl verwechselt werden kann. Jede Wanderung durch eine blühende Alpenwiese mit ihren zugänglichen Kühen und netten Schafen taucht die Seele in einen feuchten Nebel aus träger, glücklicher Frömmigkeit. Aber das sind Stimmungen; sie gehen vorbei und haben niemals die Kraft, zum Entschluß zu werden. Selbst die Kirche von Les Vescaux, ein niedriges Häuschen mit einem uralten Holzaltar, dicken Glasfenstern und dem Weihrauchgeruch von Bauerngebeten, hätte das nicht bewirken können. Es brauchte dafür die Zahlen und einen Blick in ihre Erhabenheit, ihren Schrekken.

Wenn in den alten Büchern einer der vielen schwarzbärtigen Helden sich zu etwas entschließen muß, dann «ringt» er mit seiner Entscheidung, «kämpft» darum mit sich und bösen Engeln und hat es überhaupt auf schweißtreibende Art schwer. Bei mir war es anders: Da ich die Prämissen gefunden hatte, nahm ganz von selbst der Schluß Gestalt an; es war schlicht eine Konsequenz, die mir keine Wahl mehr ließ. Ein paarmal ging ich in die kleine Kirche, kniete mich auf den schiefen Steinboden und versuchte zu beten, weil ich gelesen hatte, daß man das so machte. Aber das war bloß eine Fleißaufgabe und eine überflüssige dazu. Der Boden war kalt, meine Haltung schmerzhaft. Ich starrte die Decke und ihre rissigen Balken an und das große Holzkruzifix darunter und die häßlich dahängende Figur mit dem leidend verzerrten Mund. Ich fühlte mich unbehaglich und wußte nicht, was ich sagen sollte und zu wem. Auf eine seltsame, unangenehme Art kam ich mir lächerlich vor. Und als jemand hereinkam – ein vor sich hin murmelnder alter Mann –, stand ich schnell auf und ging, damit er mein Gesicht nicht sehen konnte.

Vielleicht stimmt das auch alles nicht; vielleicht sind es nur falsche Spiegelungen, die ich mir und dir vorzaubere. Es kann sein, daß ich dich schon die ganze Zeit belüge. Und mich selbst. Das Kind, das damals, vor Zeiten, zu schreien begann, erschrocken über den Donnerschlag, –

das war ich. Und dann, weinend, trat ich ans Fenster, um nach Ella zu rufen; ich wußte, sie war dort unten. Dann erst sah ich sie. Wenn um einen Menschen plötzlich die Luft gefriert und zugleich alles Blut in ihm zu Eis wird und er bewegungslos dasteht, eingesperrt zwischen Kälte und Kälte, – dann kann er vielleicht eine schwache Ahnung davon bekommen, was mit mir geschah. Ich weiß nicht, wie lange ich dort stand – das ist eine Phrase, ich weiß, aber sie trifft zu: Ich weiß es wirklich nicht. Ich sah die kleine verformte Spielzeugfigur auf dem Rasen und wußte nichts und spürte nichts als die ungeheure Anwesenheit des Gräßlichen. Das Grauen dieses Momentes durchdrang meinen Körper so sehr, daß ich es bis heute in meinen Gelenken spüre wie schwachen Rheumatismus. Irgendwann schloß sich ein grauer Nebel um mich, und meine Beine knickten ein, und mein Bewußtsein löste sich in eine schützende Ohnmacht auf. Als ich wieder zu mir kam, in den verwischten Sekunden, bevor ich die Augen öffnete, versuchte ich mir einzureden, daß es bloß ein Traum, ein schlimmer Traum gewesen war.

Ich habe nie etwas getan, das nicht von diesem einen schreckensgedehnten Augenblick am Fenster bestimmt war. Und in diesem Fall ...? Gut, ich hatte die Wahl: Entweder hatte ein blinder Zufall Ella getötet, oder ein gelangweilter Gott hatte Zielschießen an ihr geübt. Aber welche Möglichkeit war denn besser? Kann es sein, daß ich mich nur auf die Seite der Macht stellen wollte, dorthin, von wo die Blitze geschleudert, anstatt unter die, die getroffen werden? Du siehst, ich versuche, ehrlich zu sein. Es ist durchaus möglich, daß hinter all meinen schönen

Überlegungen nichts steckte als eine metaphysische Form von Opportunismus.

Aber wie und warum auch immer, mein Entschluß war gefaßt, und Beerholm war einverstanden. Inzwischen näherte sich die Reifeprüfung. Und obwohl ich wußte, daß sie nicht wirklich gefährlich sein würde, sah ich ihr doch mit einer gewissen Nervosität entgegen. Der Schnee war schon geschmolzen und in kleinen frühlingshellen Bächen über zerzauste Wiesen in die Täler geronnen. Einige verwirrte Blumen zeigten sich und wurden behutsam von den ersten Kühen weggezupft. Die Tage reichten schon wieder in die Nacht hinein, und die malerische Bauernfamilie kam gestärkt aus ihrer Hütte und versammelte sich für das erste Foto.

Unterdessen hatte die bevorstehende Prüfung es fertiggebracht, sich in meine Träume zu schleichen. Zuerst in Gestalt verzerrter Anspielungen: als Polizeiverhör vor einem unrasierten aber sehr höflichen Beamten, als Befragung durch einen wißbegierigen Journalisten, der seine Notizen statt in einen Block auf eine Scheibe Weißbrot kritzelte, als Prüfung im Saltoschlagen, die ich in einer riesigen Zirkusmanege ablegen mußte, neugierig beobachtet von einer Tribüne voll stummer Schimpansen. Mit der Zeit nahm sie dann deutlicher Gestalt an: Jetzt stand ich vor einem Tisch, an dem nebeneinander Beerholm und Finzel saßen, und sollte die Namen aller Europäer aufzählen, die älter waren als fünfundsiebzig. Während Beerholm mich strafend ansah, weil ich nichts antworten konnte, zog Finzel eine Zeitung aus der Tasche, betrachtete sie lächelnd und begann, sie aufzuessen. Ein paar Wochen später war es dann mit allen Verstellungen vorbei. Sobald ich nachts die Augen schloß, fand ich mich vor einer würdevoll blickenden Prüfungskommission, bestehend aus Finzel, einem namen- und gesichtslosen Vorsitzenden, meiner Deutschlehrerin, meinem Mathematik- und Französischlehrer und Herrn Gox, dem Turnlehrer, der eine schuppige braune Ananas auf seiner Nase balancierte.

«Ihr Aufsatz», sagte die Deutschlehrerin freundlich, «ist lächerlich. Zu viele Abschweifungen, zuviel unnützes Gerede. Sie kommen nie zum Wesentlichen.»

«Stellen Sie sich vor», sagte der Mathematiker, «eine Ebene schneidet ein Prisma; die resultierende Schnittfigur ist ein Quadrat. Ihre Prüfungsfrage: Wen interessiert's?»

«Können Sie tanzen?» fragte Herr Gox.

«Nur ruhig!» sagte Finzel. «Nur ruhig, alles kommt in Ordnung. Ziehen Sie einfach eine Karte!» Und er hielt mir ein winziges Kartenspiel mit violett leuchtenden Rückseiten hin. Herr Gox begann leise zu lachen, seine Ananas kam ins Schwanken, stürzte ab und verschwand lautlos durch ein Loch im Boden. Er sah ihr nach, schüttelte den Kopf und schluchzte leise.

«Nun, was ist denn?» Finzel klopfte ungeduldig auf den Tisch. «Wir haben nicht ewig Zeit; glauben Sie, wir können uns nur mit Ihnen beschäftigen? Nehmen Sie schon eine Karte! Entscheiden Sie sich schon! Was wollen Sie?»

«Ich möchte», sagte ich leise, «aufwachen. Ich möchte aufwachen.»

Finzel runzelte die Stirn. «Aufwachen, so! Gut.» Und plötzlich spürte ich mich fallen; der Raum verzerrte sich, als hätte ihn jemand zusammengefaltet, die Zeit stürzte sich in einen achterbahnhaften Überschlag. Einen Moment lang glitt ich durch ein weißschillerndes Nichts, dann fühlte ich, wie etwas Festes sich um mich legte. Etwas Weiches. Mein Bett.

Es war still. Ich hörte nur Jeans Atemzüge am anderen Ende des Zimmers. Über mir an der Decke hing ein länglicher Streifen Mondlicht, ein Bücherbord ragte als dunkles Viereck in den Raum. Ich schloß wieder die Augen, aber die Nervosität war noch immer da, lästig und stechend. Ich versuchte, an etwas Gleichgültiges zu denken: Schafe – nein, besser Kühe – auf einer Wiese. Es half nicht, und ich wechselte zu Vögeln am Himmel; aber nach ein paar Flugkurven verwandelten sie sich in Hubschrauber, dann in große, glitzernde Käfer. Schließlich probierte ich es mit dem Meer, aber das hatte ich noch nie gesehen, und so kam dabei nicht viel mehr heraus als ein Becken mit farblosem Wasser.

Dann versuchte ich nachzudenken: Wo würde ich studieren? Es gab einige Möglichkeiten, und ich hatte mich noch nicht entschieden. Unter Umständen würde ich sogar in einen Orden eintreten; diese Idee hatte etwas Strenges, Soldatisches, das mir gefiel. Ich versuchte, mir ein Kloster vorzustellen: hohe Mauern, Kreuzgänge, ein alter Brunnen, ein Gemüsegarten. Das Gebäude, das meine Phantasie in aller Eile errichtete, war ein wenig unscharf und enthielt Versatzstücke aus der *École Internationale* und dem Haus Beerholms. Trotzdem, mir gefiel es. Und ich fühlte, wie ich schon ruhiger wurde und wie sich langsam, wie Wasser in einem überschwemmten Keller, in mir der Schlaf ausbreitete. Ich ging auf das Kloster zu, öffnete das große Portal – es ging ganz leicht – und trat ein. Ein verschatteter Steingang, eine alte Treppe mit ausgetretenen Stufen. Ich begann hinaufzusteigen. Noch ein Gang, Lichtstrahlen fallen schräg ein und durch-schneiden den Raum in der Diagonalen; unwillkürlich zieht man den Kopf ein, um nicht anzustoßen. Ein paar Leute gehen an mir vorbei, aber ich mache mir nicht die Mühe, ihnen Körper und Gesicht zu geben. Ich achte auf meine Schritte, mit einiger Anstrengung gelingt es mir, ihr hallendes Geräusch zu hören, eigenartig in der Stille. Und dort ist eine Tür. Ich bleibe stehen und trete näher heran. Ach ja, hier werde ich hineingehen. Ein leeres Messingschild hängt in Augenhöhe – jetzt muß ein Name her. Etwas Originelles, vielleicht Lateinisches …? Oder lieber etwas Einfaches: Weber, Schuster … – nein, wenn schon ein Handwerkername, dann: Fassbinder. Sehr gut, das klingt einfach und zugleich irgendwie pas-send. Ich konzentriere mich auf das Schild, und dort, zu-erst nur als grauer Schatten, dann immer deutlicher, tau-chen Buchstaben auf: *Pater Fassbinder.* Jetzt kann ich wohl hinein. Ich klopfe. Nichts. Unsinn, es muß jemand da sein; ich will es so. Ich klopfe wieder. Und jetzt höre ich sie: eine Stimme, die etwas sagt. Wahrscheinlich «Herein!» Ich drücke auf die Klinke, die Tür springt auf. Ich trete ein.

Es war ein großes, praktisch eingerichtetes Arbeitszim-mer. Büchergestelle, Stühle, ein Tisch mit einer mechani-schen Schreibmaschine darauf. Dahinter saß ein Mann. Er mußte etwas über fünfzig sein und war mittelgroß, dicklich, hatte graue Haare, eine scharfgezeichnete Nase, volle Wangen, breite Augenbrauen. Er trug einen schwarzen Anzug mit weißem Kragen, und an seinem Revers blitzte ein dünnes silbernes Kreuz. Er saß mit gesenktem Kopf da; als ich hereinkam, sah er nicht auf. Ich blieb verwirrt stehen.

«Kommen Sie näher!» sagte er. «Setzen Sie sich!»

Unter meinen Füßen knarrte der Dielenboden; ich ging vorsichtig auf den kleinsten der leeren Stühle zu, setzte mich, stellte meine Aktentasche ab und wartete darauf, daß er mich ansah. Er tat es nicht. Irgendwo tickte eine Uhr.

«Sind Sie gekommen», fragte er plötzlich, «um ein bißchen dazusitzen und sich auszuruhen? Oder wollten Sie zu mir?»

«Zu ... zu Ihnen», stotterte ich, «Herr ...»

«Sie können mich mit Doktor Fassbinder anreden, auch ‹Herr Professor› wäre eine Möglichkeit. Was kann ich für Sie tun?»

«Man hat mich zu Ihnen geschickt ...» Es machte mich unruhig, daß er mich noch kein einziges Mal angesehen hatte.

«Ach! Sie wollen in den Dienst der Kirche treten?»

«Ja, Herr Professor.»

«Sieh an. Alter?»

«Neunzehn, Herr Professor.»

«Sparen Sie sich Ihre Ironie. So jung also. Sie sind ganz sicher?»

«Natürlich.»

«Natürlich. Alle sind das. Ich verstehe es nicht! Wie

kann ein vernünftiger Mensch auf so eine Idee kommen? Ist Ihnen ein Heiliger erschienen?»

«Nicht daß ich wüßte.»

«Immerhin etwas. Und Sie sind bestimmt bei der richtigen Firma? *Katholischer* Priester? Hat Ihnen jemand verraten, daß Sie hier keine Frau haben dürfen? Niemals?»

«Ja.»

«Haben Sie sich das auch gut überlegt? Mein Junge, denken Sie rechtzeitig darüber nach; ich wünsche nicht, daß Sie in einem Jahr hier sitzen und mir peinliche Dinge gestehen wollen, oder daß Sie bald schon allen Leuten Unterschriftslisten gegen den Zölibat unter die Nase halten. Ist alles schon dagewesen.» Er senkte den Kopf noch tiefer über die Tischplatte, als ob er etwas zu entziffern versuchte. «Es ist eine blödsinnige Entscheidung. Wenn Sie nicht ganz sicher sind, lassen Sie es! Niemand zwingt Sie. Offen gesagt, es wäre mir lieber, wenn Sie es sich aus dem Kopf schlagen.» Wie er da saß, vorgebeugt und mit der spitzen Nase, hatte er etwas Schildkrötenhaftes. Ich mußte lächeln.

«Wenn ich Ihr Grinsen richtig deute, wollen Sie bleiben, ja?»

«Ja.»

«Gut, Arthur Beerholm. Und wieso?»

«Das ist eine schwierige Frage, Herr Professor. Muß ich sofort antworten?»

«Sofort.»

Warum war ich ausgerechnet hier? Im Nebenzimmer saß sicher ein netter, umgänglicher Mensch ... verfluchtes Pech! Ich rückte unruhig auf meinem Stuhl herum, dann fiel mir eine Antwort ein.

«Weil ... – zwei mal fünf zehn ist. Weil die Summe der Quadrate über den Katheten gleich dem Quadrat ...»

«O nein! Einer von denen. Sind Sie sicher, daß Sie nicht lieber Mathematik studieren wollen, oder Physik oder ... oder Zahnheilkunde ...?»

«Nein, will ich nicht», sagte ich ärgerlich.

«Gut. Da ich nicht nur Ihr Lehrer bin, sondern auch Ihr ... na ja, geistlicher Berater, muß ich, ob es mich interessiert oder nicht, einiges über Sie wissen. Wo Sie herkommen, was Sie bis jetzt getan haben, womit Sie sich beschäftigen, all das langweilige Zeug.»

Ich nickte stumm, griff nach meiner Aktentasche, öffnete sie, nahm eine Mappe heraus und legte sie auf den Schreibtisch.

«Was tun Sie da?» fragte er. «Was ist das?»

«Mein Lebenslauf», sagte ich. «Handgeschrieben, mit einer Maschinenabschrift. Beigelegt meine Zeugnisse und beglaubigte Kopien aller wichtigen Dokumente.»

Er sah langsam auf und in meine Richtung. Ein seltsam schiefer Blick ging an mir vorbei, ich erschrak. Er lächelte. «Ihnen ist nicht aufgefallen, daß ich blind bin?»

Ich fühlte, wie ich rot wurde. «Nein, es ist mir nicht ... – Entschuldigen Sie bitte!»

«Oh, ich nehme es als Kompliment, als Erfolg meiner Verstellungskunst. Aber Sie sollten etwas für Ihre Beobachtungsgabe tun, einem Priester darf man nichts vorspielen können. Übrigens können Sie Ihre Papiere ruhig hierlassen, ich werde sie mir vorlesen lassen. Und das Gespräch führen wir ein andermal weiter, ich habe noch Briefe zu schreiben. Außerdem eine Steuererklärung.»

«Eine Steuererklärung?»

«Ach, das überrascht Sie? Sie haben wohl gedacht, fromme Leute haben das nicht nötig. Himmel, kommen Sie aus einem Bergdorf?»

«Ja.»

«Sie halten sich also für witzig. Nun, schlimm genug. Gehen Sie jetzt, wir werden uns wieder begegnen, und nur zu bald.»

Ich stand auf. «Vielen Dank, Herr Professor.»

Er nickte stumm, wandte sich der Maschine zu und begann zu tippen. Ich sah ihm fasziniert zu: Buchstabe um Buchstabe schlug auf das Papier, offenbar fehlerlos. Er schien vergessen zu haben, daß ich da war. Na gut. Ich drehte mich um, so leise ich konnte, und ging lautlos davon. Diesmal vermied ich das knarrende Brett. Ich öffnete die Tür. –

«Arthur!» Es klang fast freundlich. Ich blieb stehen.

«Er erschien Moses im brennenden Busch, vernichtete Sodom, hob Jesaja zu sich auf. Er liebt und haßt. Er ist keine Rechenaufgabe.»

Ich wartete, aber das war alles. So murmelte ich ein «Auf Wiedersehen», ging hinaus und schloß die Tür. Der Gang war niedrig und ausgelegt mit weißem Linoleum; von der Decke hingen Neonröhren. Vor dem Fenster lag eine graue Häuserfront im hellen Nachmittag. Menschen gingen vorbei, alleine und in Gruppen, die meisten sahen wie Studenten aus. Ich betrachtete das Messingschild und das schwarz eingravierte *Pater Fassbinder* darauf und versuchte mich an etwas zu erinnern, aber es fiel mir nicht mehr ein. Der Gang streckte sich vor mir in die Länge, die

Leuchtröhren strahlten weiß. Im Treppenhaus hing bitterer Ammoniakgeruch; meine Gedanken kräuselten sich unter einem leichten Schwindelgefühl. Am Ausgang erwartete mich eine gläserne Drehtür; als ich auf sie zuging, setzte sie sich von selbst in Bewegung. Einen Moment lang war ich von unzähligen blassen Spiegelbildern umringt, alle ein wenig erschrocken, die mich leise surrend umkreisten – dann war ich im Freien. Ich atmete auf und trat auf die Straße.

IV

U-Bahn-Stationen haben etwas Unheimliches. Die ver-
dreckten Winkel, in denen zerstörte Menschen liegen, die
Zigarettenkippen und Speichelflecken auf dem Boden,
das unfreundliche Licht, der Kloakengeruch, gegen den
die Belüftungsanlagen vergeblich ankämpfen. Das Einge-
klemmtsein zwischen Fremden, die vor dem Fenster vor-
beirasende Dunkelheit, die bedrohlich laut lachenden Ju-
gendlichen am anderen Ende des Waggons. Und die
Leute: ihre weißen Gesichter, ihre traurigen Regenmäntel.
Sie können nichts dafür; oben auf der Straße sehen sie
ganz anders aus. Es liegt am Ort. Sobald ein Mensch in die
Welt der künstlichen Steinhallen hinunterfährt, wirkt es
unglaubhaft, daß er eine Seele hat. Ich stelle mir die Hölle
als einen Ort vor, der entfernt an die U-Bahn erinnert.

Doch es war nicht zu vermeiden: Ich mußte mit ihr
fahren, und das mindestens zweimal am Tag, morgens
und abends. Gegen sechs Uhr zerriß ein kleiner, aber lauter Wecker meinen Schlaf; eine Stunde später verließ ich
meine Wohnung. Die Straßen sahen müde und traurig
aus, nur von den Plakatwänden grinsten farbige Idioten.
Schulkinder mit riesigen Rucksäcken schleppten sich der
Langeweile entgegen, Krawattenträger mit kunstledernen
Aktenkoffern kletterten in die Straßenbahnen, Autos ver-

stopften die Kreuzungen. Hinein in die U-Bahn: Schmetterlingsgleich entfalteten sich Zeitungen, zwanzigmal das gleiche Bild, die gleiche Schlagzeile. Hinaus aus der U-Bahn, zurück ans Tageslicht. Und hier ist sie schon.

Die katholische Fakultät. Sie lag zwischen einem hohen, namenlosen Bürohaus und einem Restaurant: *Gasthaus Wrampa. Ganztägig warme Küche.* Vor ein paar Jahren erst war sie renoviert worden, jetzt hatte sie quadratische Spiegelfenster, frisch gebleichte Wände, teure Projektionsanlagen in allen Hörsälen. Vormittags Philosophie bei Prof. Halbweg, Dogmatik bei Prof. Fassbinder, Liturgiewissenschaft bei a.o. Prof. Middlebrough. Mittagessen bei Wrampas ganztägig warmer doch miserabler Küche. Nachmittags Heilsgeschichte bei Prof. Waldthall, alt- und neutestamentliche Bibelkunde und Kirchengeschichte bei Prof. Pluck.

Heimweg. Die Sonne geht unter, die Straßenbeleuchtung schaltet sich ein, die ersten Leuchtschriften schreiben die Namen von Zigaretten und Limonaden an den Himmel. Wieder in die U-Bahn, wieder das gleiche Foto auf allen Zeitungen, aber es ist jetzt die Ausgabe von morgen. Die Krawatten sitzen lockerer, die Kragenknöpfe stehen offen, die Gesichter sind gealtert. Mit der Rolltreppe an die Oberfläche; jetzt ist es Nacht. Zum Abendessen ein gewärmtes Tiefkühlgericht, dann die Nachrichten im Fernsehen, dann ein paar Kapitel in der *Summa Theologica* oder einem schlichten und geistreichen Krimi. Licht ausschalten. Eine quälende Stunde der Schlaflosigkeit, halbgedachte Gedanken, verwirrte Bilder, ausgesprochen von den Flüsterdämonen unter dem Kopfkissen. Aber zum Glück gibt es Tabletten. Ein weißes Scheibchen gepreßten Pulvers umgibt dich nach ein paar Minuten mit einer zarten chemischen Schwere, löst alles auf, was noch durch dein Bewußtsein tanzt, läßt dich endlich in den Schlaf gleiten, endlich.

Ich hatte eine kleine Wohnung – «Zimmer mit Bad und Kochecke», wie die Annonce es genannt hatte – in einer eher ruhigen Gegend der Stadt. Auf der Tapete war ein lästig einprägsames Blumenmuster; unter den Fenstern lag ein kleiner Platz mit einem alten Springbrunnen, der immer abgeschaltet war und trocken. Genau gegenüber war eine Eisenwarenhandlung, und wenn man genau hinsah, konnte man durch das Glas des Schaufensters die Gestalt des Besitzers erkennen, der regungslos in seinem Geschäft saß und auf Kunden wartete, die nicht kamen.

Ich las, was ich lesen mußte, schrieb einige Seminararbeiten, lernte aus meinen wirren Vorlesungsmitschriften für Prüfungen, in denen ich es zu mittelmäßigen Noten brachte. Am Anfang war ich viel spazierengegangen, aber nach kurzer Zeit hatte ich herausgefunden, daß alles gleich aussah und daß es nirgendwo etwas Besonderes zu sehen gab. Also blieb ich zu Hause.

Ich hatte nur zu wenigen Menschen Kontakt. In der ganzen Stadt kannte ich bloß einige Verkäufer in tristen Geschäften, ein paar Universitätsprofessoren und natürlich eine Menge Studenten. Das waren seltsame Leute. Viele schienen in einem Zustand nie nachlassender innerer Spannung zu sein, sie sprachen (und ich meine das metaphorisch, aber nicht nur metaphorisch) hinter zusammengebissenen Zähnen. Man sah ihnen ihr Problem an, nämlich die leicht amüsierte Frage: «Aber warum denn *ausgerechnet* Theologie?» Jeder von ihnen hatte sie schon gehört, hundertmal und öfter. Sie lebten in Feindschaft zu einer Umwelt, die ihrer Berufung mit belustigtem Unglauben, mit psychologischen Theorien, mit achselzuckender Gleichgültigkeit begegnete, ständig darauf gefaßt, sich gegen ein Grinsen zu verteidigen. Der Planet war voll von Frauen, Fernsehshows, teuren Kinofilmen, Werbeplakaten – eine Spiegelwelt voll falscher Schönheit und Leichtigkeit. Und wir waren seltsame, unwirkliche Randfiguren. So lebten wir mit eingezogenem Kopf, unter der ewigen Drohung, lächerlich zu sein.

Dazu kam ein Meer von Anfechtungen; Monsieur Lucifer, der einzige, der uns ernst nahm, belauerte uns Tag und Nacht und setzte seine elektrischen Folterwerkzeuge an jeder Stelle unserer Seelen an. Er erwies sich als begabter Modeschöpfer; er kreierte kurze Röcke, enge Blusen, ärmellose Kleider und dazu passende langhaarige dunkeläugige Puppen, denen er einen Anflug von satanischem Leben einhauchte, um sie auf Straßen, in Gasthäusern, in Eisenbahnen neben uns zu stellen. Das war wirkungsvoll; viele meiner armen Kollegen waren dem kaum gewachsen. Man erkannte das an der gefrorenen Verzweiflung in ihren Gesichtern, ihren in Bitterkeit verkrampften Lippen, ihren gepreßten Stimmen. Manche hatten ständig Geständnisse über Taten, Wünsche, Träume zu machen und verfolgten damit, wen immer sie fanden. (Bis auf Pater Fassbinder, der jeden hinauswarf, der mit so etwas zu ihm kam.) Übrigens war das nur das einfachste der Mittel, die dem Versucher zur Verfügung standen; er hatte stärkere und subtilere. War es nicht er, der den Schriften der Kirchenväter diese Langeweile eingeträufelt hatte, die von jeder Seite wie feiner Nebel aufstieg? Hatte nicht er diese Leere in alle Dinge gelegt? War es nicht er, der in jeder Kirche zwei entsetzlich falsch singende Hundertjährige hinter einen setzte, deren Krächzstimmen einem mit jedem Ton zuschrien: ‹Es ist sinnlos, sinnlos, sinnlos›?

Nein, ich kam mit meinen Kollegen nicht besonders gut aus. Unter ihnen waren junge Mönche, die Kutten trugen und wie Statisten in einem Kostümfilm aussahen. Andere gaben sich fortschrittlich, trugen die gleiche Uniform wie Pfarrer Gudfreunt seinerzeit und waren besonders humorlos. Ein paar wollten einen Gottesstaat errichten, irgendwann, auf einem Eiland im fernen Meer. Manche wollten Religionslehrer werden, der Rest wollte Pfarrer sein und Hubschrauber taufen und samstags Karten spielen mit dem Bürgermeister.

«Sie halten sich also für etwas Besseres?» fragte Pater Fassbinder.

«Ich fürchte ja.»

«Hochmut, Beerholm, ist eine Todsünde.»

«Was soll ich dagegen tun?»

«Aber Sie *wollen* gar nichts dagegen tun. Es gefällt Ihnen. Das eben ist die Sünde. Hundertfünfzig Vaterunser zur Buße. Guten Tag.»

Überraschenderweise half das. Die Wiederholungen senkten meinen Geist in eine verschwommene Schläfrigkeit, nach und nach verloren die Worte ihren Sinn und ließen nur eine rhythmische Bewegung von Lauten zurück. Ein paar Tage war ich gleichmütig und milde gestimmt, aber das ließ nach, und ich mußte nachts wieder die Tabletten zu Hilfe rufen. Ich war nie besonders gut im Beten, leider.

So hatte ich viel Zeit zum Nachdenken, ohne doch genau zu wissen, worüber ich nachdenken sollte. Um mich lag die große Stadt: Überall leidende, kämpfende, glückliche, unglückliche Menschen, alle um etwas bemüht, was mich nichts anging. Ich gehörte zu einer anderen Welt: einer Welt von Mathematik, von Erlösung und Schuld. Wozu nach Versöhnung suchen? Eines Tages mußten ihre Häuser verglühen, Posaunenschläge diesen Himmel zerreißen, die Städte zu Rauch werden, und ein Windstoß würde die Sterne auslöschen.

Hin und wieder, in manchen Nächten, in denen der Raum um mich besonders leer und dunkel war und die Pillen nur zögernd wirkten, spürte ich einen feinen Riß in meinem Bewußtsein. Dann tastete ich nach dem Lichtschalter, fand ihn nicht, fand ihn, setzte mich auf und wußte weder, wieviel Uhr es war, noch welcher Ort. Manchmal auch schien in den Blumentapeten eine geheime Drohung zu liegen, einmal ertappte ich mich bei dem Versuch, mit ihnen zu sprechen. Und niemals konnte ich den Verdacht ganz loswerden, daß etwas, sobald ich meine Augen schloß, die seinen öffnete. Daß es mich anzustarren begann, sobald ich einschlief ... –

Da geschah etwas.

Seit zwei Tagen hatte ich einen heftigen Schnupfen, dazu Kopfschmerzen und vermutlich – man spürt so etwas – leicht erhöhte Temperatur. Trotzdem ging ich einkaufen. Es war ein schwüler Nachmittag; eben noch hatte es geregnet, jetzt schien die Sonne, und irgendwo, halbverdeckt von einem Hochhaus, hing sogar ein unsauberer Regenbogen am Himmel. Das Plakat klebte an einer Hauswand neben der Bäckerei, in der ich gerade einen halben Laib Brot erstanden hatte. Das Plakat war kaum größer als ein normales Blatt Schreibpapier, außerdem schwarzweiß und billig gedruckt. Jemand hatte schon ein anderes darübergeklebt, die Ankündigung für das Gastspiel einer Popgruppe, doch dieses hatte sich gelöst, hing kraftlos herab und flatterte sanft im Wind. Eigentlich war es dieses herabhängende und flatternde Blatt, das meine Aufmerksamkeit auf sich und auf das andere lenkte. Ich trat näher heran, ein wenig geistesabwesend noch, benebelt von meiner Erkältung. Ich nieste und suchte nach einem Taschentuch. Dann las ich.

Jan van Rode
bringt zur Kenntnis,
daß er beabsichtigt,
in öffentlicher Vorführung
einige seiner Künste
zur Schau zu stellen.

Darunter stand noch das Datum, eine Uhrzeit und eine Adresse. Ich las es noch einmal. Und noch einmal.

Also er selbst. Seit langer Zeit trat er nur noch als Autor von Fachbüchern, kurzen und meisterhaften Abhandlungen hervor; Auftritte von ihm waren selten und eigenartig zufällig. Und so ein kleines Plakat, derart unscheinbar ...
– Sehr merkwürdig. Aber was für ein Glück!

Und jetzt sah ich auf das Datum: Das war heute. Heute

abend! (Natürlich war es das. Wozu es aufschieben? Alles andere wäre unsinnig gewesen, meinst du nicht?) Ich schrieb mir Ort und Zeit auf und ging aufgeregt davon. Erst zu Hause fiel mir auf, daß ich die Tasche mit dem Brot stehengelassen hatte, einfach so, auf der Straße.

In allen Städten gibt es Kellertheater, luftlose Orte, wo obskure Darsteller obskure Stücke einem obskuren Publikum zeigen. Dieses lag in einer besonders unpassenden Gegend; eigentlich gab es hier bloß Baustellen, Schutt und Kräne, die wie kleine Eiffeltürme in die Dämmerung ragten. Der Taxifahrer hatte Schwierigkeiten, die richtige Straße zu finden. Aber schließlich schaffte er es doch, und sogar rechtzeitig.

Eine kleine Tür in einer unverputzten Ziegelwand, darüber ein Schild, aber ich erinnere mich nicht mehr, was daraufstand. Ein paar Stufen führten in einen Vorraum, wo eine junge Frau mir eine Eintrittskarte verkaufte. Gar nicht billig. Das Theater selbst war nicht groß: Zwölf Sitzreihen, davor eine schmale Bühne. Hustend, aber aspiringestärkt suchte ich meinen Platz, fand ihn, setzte mich. Es waren schon einige Leute da.

Aber nicht viele. Zwei alte Damen. Ein gutgekleideter Herr. Ein Mann mit einer dicken Brille, der sofort Bleistift und Notizblock zückte und schreibbereit die Lippen spitzte. Eine wunderschöne Frau. Ein junges Ehepaar. Eine Dame mit einem winzigen Dackel auf dem Schoß. Zwei Männer mit Anstecknadeln des Magischen Zirkels. Ingesamt waren es wohl nicht mehr als zwanzig Menschen. Viele Sitze blieben leer, in den letzten vier Reihen saß überhaupt niemand.

Dann wurde es ruhig. Die zwei Männer vom Zirkel tuschelten noch; jemand zischte, und sie hörten auf. Der Vorhang teilte sich und Jan van Rode trat hervor.

Er war nicht groß. Braune Haare, ein kurzgeschnittener Vollbart, eine dünnrandige Brille. Er trug eine englische Tweedjacke mit runden Lederflicken auf den Ellenbogen, darunter einen roten Wollpullover. Er sah wie ein Universitätsprofessor aus, ein Akademiker, ein Dozent für Literaturwissenschaft oder Statistik.

Er verzichtete auf eine Verbeugung, auf Grußworte, auf jede Förmlichkeit. Er griff mit leerer Hand in die Luft und hielt auf einmal ein Seidentuch darin. Das warf er mit einer nachlässigen Bewegung in die Höhe; es breitete zwei bläuliche Flügel aus und flatterte, eine Taube, davon. Der Vogel zog einen, zwei, drei Kreise über unseren Köpfen; plötzlich zerfiel er in eine Stichflamme und einen Regen silberner Funken. Eine der alten Damen stöhnte leise, der Dackel bellte. Van Rode drehte sich um und starrte einige Sekunden lang auf den leeren Boden neben sich. Nein, da stand ein Stuhl. Ein unauffälliger Holzstuhl. Aber eben war er doch noch nicht ... Oder ...? Ich rieb mir verwirrt die Augen und versuchte, ein Husten zu unterdrücken. Da lief ein Zucken durch den Stuhl: Und er begann, sich zu bewegen. Zuerst nur zaghaft; ein paar Zentimeter vorwärts und wieder zurück, schwerfällig und ängstlich, als ob das etwas Verbotenes wäre. Dann wurde er mutiger: Plötzlich sprang er in die Luft, kam krachend wieder auf und stand ein paar Sekunden lang unbeweglich da, erschrocken darüber, was er sich herausgenommen hatte. Doch dann rückte er langsam wieder auf van Rode zu, der ihm amüsiert lächelnd, die Hände in den Taschen, zusah, und fuhr schließlich in einer Kreisbewegung um ihn herum. Und begann einen lautlosen, seltsam graziösen Tanz: Im Takt einer unhörbaren Musik sprang er hin und her, bäumte sich auf, drehte sich um seine Achse, verharrte einen Moment lang horchend und drehte sich in die andere Richtung. Und dann, auf einmal, war ein zweiter Stuhl da und machte alle Bewegungen – drehen, springen, horchen, drehen – mit, aber um eine Winzigkeit langsamer, eine Spur ungeschickter und weniger geübt. Einmal kam er mit den Vorder- statt mit den Hinterbeinen auf, und man spürte förmlich, wie er erschrak und die nächsten Figuren mit einer sanften Unsicherheit ausführte, im Zweifel, ob jemand etwas bemerkt hatte. Dann fand er den Rhythmus wieder, und von da an machte er es ganz gut.

Jan van Rode tat nichts. Er stand bloß da und sah zu; aber man spürte deutlich, daß das hier nur durch ihn möglich war, daß seine Anwesenheit, und nichts sonst, die Stühle lebendig machte. Irgend etwas an ihm reichte aus, so schien es, um die Dinge um ihn zur Bewegung, zum Tanzen, zum Schweben zu bringen, um tote Gegenstände in ein hektisches Leben zu versetzen. Nicht nur die zwei Stühle, auch ich, auch die schwer atmende Frau hinter mir, auch der Mann mit dem Schreibblock, der aufgehört hatte, Notizen zu machen, selbst der Dackel, der jetzt ganz still war, den Schwanz gesenkt, die Haare leicht gesträubt, – wir alle fühlten van Rodes Willen, und daß kein Naturgesetz sich ihm entgegenstellen würde.

Van Rode wandte sich uns zu und lächelte. Erst nach einigen Sekunden wurde klar, daß er auf Applaus wartete, daß das Kunststück vorbei war. Ja hatten denn die Stühle aufgehört zu tanzen ... – und wo waren sie? Von ihnen war nichts mehr zu sehen; dabei erstaunte mich weniger, *daß* sie verschwunden waren, als *wann* es geschehen war. Kein Blitz, kein Knall, nichts. Wie war das möglich: Ich hatte die ganze Zeit aufgepaßt und doch nicht bemerkt, daß sie nicht mehr da waren. Jemand klatschte zaghaft, dann noch jemand, und auch ich brachte es fertig, obwohl es mir schwerfiel, die Hände zu bewegen.

Van Rode deutete eine Verbeugung an, beugte sich vor, stützte sich auf den Tisch und wartete, bis das Klatschen vorbei war. Den Tisch? Ja, den massiven Holztisch, der vor ihm stand. Aber wie ...? Etwas preßte meinen Hals zusammen, ein Hustenreiz stieg in mir auf; ich biß die Zähne zusammen und hielt die Luft an, um ihn zu unterdrücken, die Anstrengung trieb mir Tränen in die Augen. Dann hustete ich doch; die Frau mit dem Hund sah mich strafend an. Meine Hände zitterten, ich preßte sie auf die Sessellehnen, so fest ich konnte. Jetzt zog er eine Packung Papiertaschentücher hervor, Marke *Blanzi*, wie man sie im Supermarkt bekommt. Er riß sie auf, nahm ein Taschentuch heraus, entfaltete es, zeigte es von beiden Seiten und hielt es dann vor den Schreibtisch, den es völlig verdeckte. Nein, nicht was du glaubst: keine Tuchvergrößerung. Das Taschentuch war genauso klein geblieben, wie es gewesen war, ein normales Taschentuch, zwanzig mal zwanzig Zentimeter, nicht mehr. Und trotzdem verdeckte es den Tisch! War der Tisch denn geschrumpft? Nein, war er nicht. Er war nach wie vor ein großer, fester, normaler, brauchbarer Tisch, an dem sich nichts verändert hatte. Van Rode zog das Tuch weg, zeigte den Tisch, zeigte das Tuch, hielt es wieder vor den Tisch, der Tisch war weg. Ich spürte eine Verkrampfung durch meinen Magen kriechen, Hitze umgab mich, meine Stirn fühlte sich feucht an. Das Tuch, der Tisch, die sich verschlingenden Größenverhältnisse. – Aber wie, höre ich dich fragen, soll denn das aussehen, wenn ein kleines Tuch einen großen Tisch verdeckt? Bei Gott, ich kann es nicht beschreiben; wohl sehe ich es noch vor mir und werde es nie vergessen, aber ich könnte es nicht schildern oder aufzeichnen. Es war, als hätte mich der Wahnsinn überfallen, es war wie ein Fiebertraum, wie der Anblick des Teufels im Spiegel, es war unsagbar gräßlich. Ich hörte mein Herz schlagen und sah, wie ein Farbschleier sich zwischen mich und die Bühne legte. Van Rode ließ das Tuch fallen; ich folgte ihm mit den Augen, aber irgendwo auf dem Weg verlor ich es, und es kam nicht mehr auf dem Boden an. Er trat einen Schritt vor, dorthin, wo eben noch der Tisch – der Tisch? – gewesen war, und verbeugte sich. Ich versuchte zu klatschen, aber meine Hände bewegten sich nicht; sie nahmen einfach keine Befehle von mir entgegen, als wären es die Hände von jemand anderem. Dabei hätte ich gerne meinen Kragenknopf geöffnet, denn die Luft war inzwischen sehr knapp geworden; außerdem wollte ich mir den Schweiß von der Stirn wischen. Ich blickte auf.

Aber offenbar zu spät. War es vorbei? Es war vorbei. Es mußte vorbei sein. Die Bühne war leer, das Licht war zu einem blassen Gelb heruntergedämpft. Und in den Reihen vor mir saß niemand mehr. Ich brachte es fertig, mich umzudrehen: Ich war allein im Raum. Ich beugte mich vor, nahm meine ganze Kraft zusammen, und irgendwie schaffte ich es, aufzustehen. Und ging auf den Ausgang zu. Ich mußte gewachsen sein, denn meine Beine kamen mir länger vor und schwerer zu lenken, der Boden war weiter entfernt, als ich es gewohnt war.

Es gelang mir trotzdem, hinauszukommen. Die Stiegen hinauf, an der Kasse vorbei, auf die Straße. Die Luft war kalt, von irgendeiner Baustelle her roch es nach verbranntem Gummi. Der Himmel hing schwer über einem Wald von Antennen.

Indem ich vorsichtig einen Fuß vor den anderen setzte, brachte ich es fertig, vorwärtszukommen. Der Boden unter mir fühlte sich weich an, fast lebendig, etwas in ihm reagierte auf meine Schritte. Ich stützte mich gegen eine Hauswand, sie schien vor meinem Arm zurückzuweichen. Ein Betrunkener kam mir entgegen, rutschte aus, hielt sich an einem Laternenmast fest, kämpfte einige Sekunden lang verbissen um Gleichgewicht und löste sich in Luft auf. Für einen Moment streifte mich noch sein Weingeruch. Bald wußte ich nichts mehr, als daß ich weitergehen mußte. Jeder neue Schritt war eine Überwindung, ein Sieg über die warme, lastende Schwäche in meinen Gliedern. Weiter. Nur weiter. Nicht hierbleiben.

Bis plötzlich ein gläsernes Viereck vor mir Gestalt annahm. Ich berührte es; eine Schwingtür öffnete sich, ich taumelte hinein und lehnte mich an die kühle Glaswand. Ich war in einer Telefonzelle. Einige Zeit stand ich da und versuchte, wieder zu Kräften zu kommen. Das Glas um mich war beschlagen, und hinter einer Schicht von milchigem Nebel sah ich die Umrisse von Dächern, den dunklen Himmel, den weißen Dreiviertelmond. Endlich tastete ich nach dem Hörer, fand ihn, nahm ihn und führte ihn an mein Gesicht. Und jetzt die Nummer. Egal welche, irgendeine. Nein, vorher Geld.

Geld? Jawohl: Geld, Münzen, das, was man brauchte, um diesen stummen, bösen Apparat zum Sprechen zu bringen. Ich begann, der Reihe nach meine Taschen zu befühlen; aber ich wußte es schon jetzt: Ich hatte kein Kleingeld. Bloß ein paar Scheine, und die halfen mir überhaupt nichts.

Ein seltsames Schwindelgefühl bohrte sich in Korkenzieherwindungen durch meinen Kopf, meinen Hals, die Brust, den Bauch. Ich schloß die Augen; wirre, formlose Farberscheinungen rannen durch die Dunkelheit. – Genug! Ich schlug die Augen wieder auf, der Mond war größer geworden, viel größer, er bedeckte schon den halben Himmel. «Und jetzt», sagte ich laut, «telefoniere ich.» Ich streckte die Hand nach den Wähltasten aus und begann, eine Nummer einzugeben, die, ich weiß nicht woher, in meinem Gedächtnis aufgetaucht war. Ich spürte, wie der Widerstand der Maschine schwächer wurde und nach einigen Sekunden in sich zusammensank. Und da war das Freizeichen. Es klickte, eine Stimme meldete sich.

Ich hörte mich noch etwas sagen, aber das war schon weit weg, kaum mehr verständlich, hinter einer Wand von Rauschen und Knistern. Dann hob sich die Zelle in die Luft, und eine unsichtbare Kraft schleuderte sie in einer weiten Kurve dem dunklen Himmel entgegen und dem riesigen, schillernden Mond ... –

Und dann? Wie soll ich dir antworten; es gibt Reiche

unterhalb von Vernunft und Sprache. Dann nichts. Ferne Geräusche, ein sich langsam auflösendes Meer von Übelkeit, ein Gefühl des Fallens. Jemand scheint etwas zu fragen, ich scheine zu antworten. Die Antwort scheint ungenügend zu sein. Ich falle noch immer. Irgendwann endet es. Ich finde mich im Dunkeln, im Licht- und Lautlosen. Es dauert ein wenig, bis ich auf die Idee komme, die Augen zu öffnen.

Eine graue, rissige Fläche mit einer ausgeschalteten Lampe davor. Darunter. Denn die Fläche ist über mir. Ich liege auf dem Rücken. Eine Zimmerdecke.

Ich liege in einem Bett in einem kleinen, nicht wirklich ungemütlichen Raum. Ein Fenster mit grünen Vorhängen (darum sind Boden, Wand, Decke, Bett vom Licht grün eingefärbt). Teppichboden, ein Nachtkästchen, ein zweites Bett – leer –, ein leicht schiefer Tisch, ein Kreuz an der Wand, ein Lehnstuhl. Und darin: Pater Fassbinder.

«Das ist natürlich ein Zufall», sagte er. «Ich bin vor einer Minute hereingekommen, und ich werde gleich wieder gehen. Bilden Sie sich nicht ein, ich hätte nichts Besseres zu tun, als an Ihrem Bett zu sitzen.»

«Bestimmt nicht», antwortete ich und bemerkte, daß ich heiser war. «Guten Morgen, Herr Professor! Wie lange liege ich schon hier? Was für ein Tag …?»

«Der vierte August. Mein Lieber, Sie haben über ein Jahr geschlafen.»

«Was?» schrie ich. «Ein Jahr?»

Er grinste. «Wissen Sie, manchmal tut es mir beinahe leid, daß ich blind bin. Schade, daß ich Ihr Gesicht versäume. Ein Jahr, das würde Ihnen gefallen, nicht? Was soll die blöde Frage? Sie sind gestern nacht in ziemlich miserablem Zustand hergebracht worden, jetzt ist es Mittag, Sie haben also elf bis zwölf Stunden geschlafen, mehr nicht. Tut mir leid, wenn ich Sie enttäusche.»

«Mein Zeitgefühl», sagte ich, «ist etwas durcheinandergekommen.»

«Sieht so aus. Übrigens fehlt Ihnen nichts Besonderes. Ein schwerer Grippeanfall, Influenza, die asiatische Version. Es wird eine Zeitlang dauern, aber es geht vorbei.»

«Wo bin ich hier?»

«Wo Sie immer schon hinwollten, Arthur: im Kloster. Im Stift der Schwestern zur Barmherzigen Agathe. Deren Aufgabe ist es, Kranke zu pflegen. Sie werden zufrieden sein.»

«Und wie bin ich hergekommen?»

«Endlich fragen Sie. Sie scheinen gestern nacht einen Schwächeanfall gehabt zu haben. Und kurz vor dem Zusammenbrechen haben Sie ein Taxi gerufen. Ein Taxi! Ist das nicht zum Totlachen? Da erkennt man den reichen Jungen. Keinen Arzt, keine Ambulanz, keinen hilfsbereiten Freund – ein Taxi. Und dem Fahrer haben Sie meine Adresse gegeben. Meine – unter allen Leuten in der Stadt. Würden Sie mir freundlicherweise sagen, was Ihnen da eingefallen ist?»

«Ich weiß es …» – mein Hals tat weh, ich räusperte mich, aber das half nicht – «… ich weiß es nicht. Wirklich. Ich erinnere mich nicht mehr.»

«Na wunderbar. Also: Mitten im tiefsten Schlaf werde ich wachgeläutet, und vor mir steht ein schimpfender Taxifahrer, und in seinen Armen liegen Sie und delirieren vor sich hin. Um Mitternacht. Mein Lieber, ich habe schon eine Menge seltsamer Dinge erlebt, aber das ...»

«Entschuldigen Sie», krächzte ich, «wenn ich Ihnen Unannehmlichkeiten ...»

«Das ist ein schwacher Ausdruck! Das Taxi bezahlen. Einen Arzt auftreiben, es hätte ja auch etwas Ernstes sein können, Malaria oder die Pest. Die Schwestern überreden, Sie um halb zwei Uhr nachts aufzunehmen. Einen Krankentransport organisieren. Übrigens hatten Sie Ihren Zusammenbruch in einer seltsamen Gegend.»

«Ja, ich ...» Meine Lunge krampfte sich zusammen, ein harter, schmerzhafter Husten stieg in mir auf. Pater Fassbinder schüttelte tadelnd den Kopf.

«Sie sollten nicht so viel reden. Also: Was hatten Sie da zu suchen? Reden Sie!»

«Nichts Schlimmes», sagte ich mühsam. «Eine Zaubervorstellung».

«*Was* bitte?»

«Eine Zauber-Vorstellung. Ein berühmter Zauberer, vielleicht kennen Sie ihn. Jan van Rode.»

«Sicher.»

«Wirklich?» fragte ich aufgeregt. «Haben Sie ihn ge...» Ich schwieg erschrocken.

«Gute Frage, Arthur», sagte Pater Fassbinder kühl, «exzellente Frage, wirklich. Nein, stellen Sie sich vor, ich habe ihn nicht gesehen. Aber wie zum Teufel kommen Sie, ein erwachsener Mensch, dazu, ins Kindertheater zu gehen?»

«Zauberei», sagte ich unter Ausnützung der letzten, allerletzten Reserven meiner Stimme, «ist kein Kindertheater. Es ist ... – es ist eine ... – eine große Kunst.»

«Ach wirklich? Müssen Sie mir gelegentlich genauer erklären. Sie zaubern wohl selbst?»

«Früher. Jetzt nicht mehr.»

«Ich würde Sie ja bitten, mir etwas vorzuführen, aber wissen Sie: Zufällig bin ich kein gutes Publikum. War ich nie. Nicht mal in meiner Jugend.»

«Waren Sie», fragte ich zögernd, «immer schon …?»

«Immer schon, ja.» Er lächelte und legte den Kopf auf die Seite. «Seit meiner Geburt. Ich weiß nicht, wie Sie aussehen, wie irgendein Mensch aussieht. Ich weiß nicht einmal, was das heißt: aussehen.»

Ich starrte ihn überrascht an, zugleich fühlte ich, wie von neuem das Fieber nach mir griff. «Aber Sie können doch tasten?»

Er zuckte mit den Schultern. «Sicher. Etwas Hartes, Klumpiges, Warmes. Ein weicher Vorsprung: die Nase. Ein feuchtes Loch, der Mund. Etwas Rundes, Weiches: Vorsicht, das sind die Augen. Ein Hund fühlt sich ziemlich ähnlich an. Es hat jedesmal etwas Erschreckendes.»

Ich versuchte, etwas zu sagen, aber ich brachte keinen Laut zustande. Es war soweit: Ich hatte keine Stimme mehr.

Und dazu hatte ich plötzlich Durst. «Ich brauche», flüsterte ich, «etwas zu trinken. Könnten Sie jemanden rufen?»

«Was?» fragte er scharf. «Mein Gott, reden Sie doch lauter!»

«Ich kann nicht.»

«Na ja, gut. Ich habe Sie schon gehört; taub bin ich noch nicht.» Er blieb ruhig sitzen, und er rief niemanden.

Er hatte mich nicht verstanden. Ich sah mich verzweifelt um, aber nirgendwo war ein Klingelknopf und nirgendwo etwas Trinkbares.

«Übrigens», sagte Pater Fassbinder, «ein ganz so übler Zauberer scheinen Sie nicht zu sein. Der Taxifahrer hat behauptet, Sie hätten ihn von einer kaputten Telefonzelle aus angerufen. Kein schlechter Trick, Arthur. Sollten Sie mir mal verraten!»

Ich versuchte zu husten, aber nicht einmal das brachte ich noch fertig. Ich wollte trinken und dann schlafen, nur noch schlafen. Eine kleine Fliege summte durch das Zimmer, landete an der Wand und begann einen schnellen, kurvenreichen Lauf. Was schrieb sie da? Durch meine Arme und Beine lief eine Welle aus Schüttelfrost.

«Nun, Arthur», sagte Pater Fassbinder, «ich merke, daß Sie nicht auf eine Unterhaltung aus sind. Verständlich. Und ich habe auch keine Zeit mehr. Viel Arbeit, Sie wissen ja. Man wird hier gut für Sie sorgen, keine Angst. Schließlich sind Sie einer von uns.» Er stand auf und zog einen dünnen weißen Stab hinter dem Sessel hervor. Und plötzlich hatte ich das Gefühl, daß er mich ansah. «Wir werden immer da sein, wenn Sie uns brauchen.»

Meine Augen waren schon zugefallen, mit letzter Kraft bekam ich sie noch einmal auf und brachte es sogar fertig, ein «Danke!» zu röcheln.

«Bitte! Aber alles hat Grenzen. Wagen Sie es nie wieder, mich um Mitternacht aus dem Bett zu holen!»

V

Nun das frömmste Kapitel in meinem Bericht. Ich fürchte, es wird ein wenig kühl werden und starr, womöglich leblos. Stell dir ein mittelalterliches Altarbild vor: die in die Fläche zerdehnten Figuren, die spitzfingrige Handhaltung des unbeteiligt blickenden Erlösers, den starräugigen Gesichtsausdruck eines Jüngers im Hintergrund. Die dünnen Grashalme; ein Kind, das aussieht wie ein falsch proportionierter Erwachsener; ein verirrter Maikäfer, Symbol des dümmlich weiterlaufenden Lebens, unter dem Kreuz. Oder auch ein Kirchenfenster. Schließ deine Augen (schließ sie überhaupt, du weißt, ich kann sie nicht lange ansehen) und stell es dir vor: das farbige Glas in der dunklen dämonenbesetzten Wand einer Kathedrale. Ein Sonnenstrahl berührt es, und auf einmal glänzt die darin eingefrorene Helligkeit auf. Ein flacher Paulus hebt ein leuchtendes Buch zu einer wappenvogelhaften Taube empor; beide sind sie eingesperrt in gelbem, gehärtetem Licht. Ein Ritter hebt sein Schwert, eine einäugige Schlange züngelt dürr auf ihn zu. Ein Soldat trägt eine Lanze, auf seiner Brust flackert ein weißes Kreuz. Dem Heiligen Land entgegen.

Im Alter von dreiundzwanzig Jahren empfing ich die niederen Weihen. Ich war schnell vorangekommen, und die Kirche brauchte Personal. Es war eine schöne Zeremonie: Ein unsichtbarer Organist tastete sich auf einer nur leicht verstimmten Maschine durch die Windungen einer Bachschen Fuge. Die Töne wehten majestätisch durch das Kirchenschiff – zwar kein Dom, aber doch ansehnlich –, und Holzbänke und Chorgestühl vibrierten ahnungsvoll, als ob das Holz die Sehnsucht hätte, sich in Musik zu verwandeln. Der Bischof war groß und würdevoll, und seine Mitra glänzte bedeutungsschwer. Seine Predigt war beinahe intelligent. Und der Kinderchor, eine Versammlung kaugummikauender Jungen und langzopfiger, gähnender Mädchen, sang auffallend klar, richtig und rein. Ich kniete nieder, und am oberen Rand meines Blickfelds schlug die beringte Hand des Bischofs ein Kreuz. Das also war es: einer jener Momente, auf die alles zulief.

Nach meiner Krankheit hatte sich einiges geändert. Als es mir, nach etwa drei Wochen, besser ging, durfte ich wieder nach Hause. Der Arzt hatte mich beschworen, auf meinen Schlaftablettenverbrauch zu achten. Also wechselte ich die Marke, und von da an fühlte ich mich gut. Meine Krise schien überwunden. Meine Noten wurden besser, meine Stimmung hellte sich auf. Das Leben schien zusehends leichter.

Und ich übte wieder die Zauberei aus. Gleich nach meiner Krankheit, nein, eigentlich schon, als sie noch anhielt, hatte ich wieder begonnen. Sobald mein Fieber so weit gesunken war, daß ich wieder aufrecht sitzen konnte und halbwegs klar sehen und denken, überredete ich eine der Schwestern, mir ein Kartenspiel einzuschmuggeln. Ich bekam ein altes, unvollständiges und abgegriffenes, auf dessen Rückseiten – das Leben hat einen seltsamen Humor und eine Neigung zu banalstem Symbolismus – kleine, rotgehörnte Teufelchen abgebildet waren.

Und ziemlich schnell, während mein Bewußtsein noch in einem warmen Fiebernebel schwamm, fanden meine Hände wieder die richtigen Griffe. Das war sie – die Volte. Etwas unsicher noch und viel zu langsam, aber doch erstaunlich exakt. Das Kolorieren: Meine offene Hand näherte sich einer Karte, meine Fingerspitzen strichen zärtlich über ihre Oberfläche, gaben sie frei – und siehe, sie war eine andere. Es war ein traumhaft schimmerndes Glücksgefühl. Warum hatte ich je aufgehört?

Als ich wieder daheim war, befreite ich meine alten Bücher. Der Pappkarton stand noch immer auf meinem Schrank, und daß es inzwischen ein anderer Schrank war, kümmerte ihn nicht. Ich stieg auf einen Stuhl, stellte mich auf die Zehenspitzen, hielt mich an der Kante des Schrankes fest (ein Schwanken, Zeugnis noch andauernder Schwäche, lief durch die feste Welt) und zog den Karton vorsichtig an mich heran. Eine Schneewolke von weißem Staub hob und senkte sich, und irgendwie brachte ich es fertig, den Karton und mich selbst hinunterzubringen. Dann schnitt ich das Klebeband auf.

Und da waren sie alle: Hofzinser, Diabelli, Librikov, Vernon, auch van Rode. Alte Freunde, lang verschmäht, alte Gefährten, wer kann das Leben ertragen ohne euch! Ich packte sie aus, eines nach dem anderen, und betrachtete jedes einzelne mit ehrfürchtiger Freude. Und ihr wart so nahe in all den Jahren? Ihr habt wirklich nur da oben gewartet? Habt ihr gewußt, daß eure Zeit noch kommt?

Natürlich habt ihr, natürlich. Und da ist auch meine Enzyklopädie. Erster, zweiter, dritter, vierter Band. Und hier die Mappe mit meinen eigenen Entwürfen, ordentlich ausgeführt, saubere Skizzen, einige auf Millimeterpapier.

Und es war viel nachzuholen. Während meiner Abwesenheit waren Werke von Juan Tamariz erschienen, einige wichtige Studien aus Diabellis Nachlaß und ein neues, dünnes, kompliziertes Buch von Jan van Rode. All das mußte studiert werden, und vorher war noch so viel Altes, Vergessenes, Beiseitegedrängtes von neuem zu lernen. Und nebenbei hatte ich ja immer noch mein Studium: Prüfungen über Rahner und Cusanus, Seminare über die Sozialenzyklika. Zum ersten Mal war meine Zeit wieder ausgefüllt.

Nach einigen Monaten, als ich die Volte wieder in einer Geschwindigkeit schlagen konnte, die sie unsichtbar werden ließ, beschloß ich, es zu wagen: Ich wollte zur Quelle pilgern, ich wollte an die Tür des Magischen Zirkels klopfen.

Die Adresse war leicht zu bekommen. Der Verkäufer in dem Scherz- und Zauberartikelgeschäft, in dem ich Kunde war, gab sie mir. Ohne Zögern, ohne Heimlichkeit, ganz selbstverständlich. Das überraschte mich.

Und es war nicht die letzte Überraschung. Die Adresse war die eines leicht schäbigen Cafés, wo sich einmal in der Woche um acht Uhr abends die Zaubergemeinschaft traf. Also gut! Ich ertränkte meine Aufregung in einem Glas Wasser mit einer mittelschweren Beruhigungstablette, kleidete mich in nachlässige Eleganz, steckte meine Karten ein, memorierte meine zehn besten Kunststücke und machte mich auf den Weg.

Und jetzt? Jetzt ein wenig Theater auf dem Theater. Etwas Clownerie in der größeren Farce meines Lebens. Sie wäre verzichtbar, aber wozu auf das verzichten, was zugleich amüsant und traurig ist. Heben wir den kleinen, bestickten Vorhang: Handpuppen werden sichtbar.

Eine Beamtenphysiognomie mit engem Kragen und kunststoffglitzerndem Jackett, ein dünner Schnurrbart auf einem blankgescheuerten Gesicht. Ein Mann mit buntem Hemd, ein Goldkettchen um den Hals gewunden. Ein Vollbartträger vor einem Teller mit einem riesigen Wiener Schnitzel darauf; ein Stück nach dem anderen verschwindet in seiner Behaarung; neben ihm steht ein Koffer, darauf abgebildet ein Kaninchen mit Zylinder. Eine Frau, dicklich, alt, strohblond gefärbte Haare. Irgendwo in der Gruppe, goldlockig und schwitzend, ein Berühmter, mehrmals schon (vormittags) im Fernsehen aufgetreten. Er lebt davon, zwar schlecht, doch er tut es, und die anderen betrachten ihn mit mitleidigem Neid. Sie sind Amateure: Der Mann im Hemd repariert Autos, die dicke Frau hat eine Bäckerei, der Vollbartträger ein Taxi, und der, der wie ein Finanzbeamter aussieht, ist tatsächlich Finanzbeamter.

Ich trat näher; einzelne Blicke wandten sich mir zu. Nur ein paar; den meisten war es egal, wer kam oder ging. Instinktiv wandte ich mich an den Profi und brachte mein Anliegen vor, er zuckte stumm mit den Schultern. Er war leicht verärgert, weil der Kellner sich mit seinem Bier Zeit ließ.

Ich setzte mich und wartete. An der Wand hing ein Hochglanzfoto von Thomas Brewey, signiert. Der Automechaniker erzählte dem Lehrer von einem Engagement: ein Kindergeburtstag, erstklassige Bezahlung. Die dicke Frau wollte ein Glas Milch, jemand machte einen obszönen Witz, sie schnaufte beleidigt. Am Nebentisch teilten zwei Männer mit ernsten Mienen Karten aus und – begannen zu pokern. Jetzt wurde doch jemand auf mich aufmerksam: «Führen Sie was vor!» Natürlich, so war es der Brauch; auf nichts anderes hatte ich gewartet. Ich zog ein Kartenspiel aus der Luft, fächerte es auf und begann mit van Rodes großer Königswanderung. Etwa in der Mitte bemerkte ich, daß mir keiner zusah; ich sammelte meine Karten ein, ohne das Kunststück zu Ende zu führen, niemand beschwerte sich. «Noch ein Bier!» rief der Profi und versank wieder in stummes Brüten. «Was?» schrie der Taxifahrer auf. «Zweitausend? Die haben dir wirklich *Zwei*tausend ...?» Vor dem Fenster schwankte der Oberkörper eines Betrunkenen vorbei. Er sang ein Lied; ich versuchte, von seinen Lippen abzulesen, welches, doch da war er schon vorbei. *«Zweitausend?»* Jemand legte etwas vor mich hin. Ein kleiner Mann mit Spitzbart, ich hatte noch nie jemanden mit so einem Spitzbart gesehen. «Lesen Sie», sagte er, «kann ich beschaffen. Alles.» Es war ein Katalog mit Zauberartikeln, und zwar von jenem Geschäft, in dem ich Kunde war. «Danke», sagte ich und schüttelte den Kopf; er schlurfte stumm davon. Der Zigarettenrauch begann, in meine Lungen zu dringen; ich mußte gähnen. Ich fing an, den Leuten Berufe zuzuteilen: Der Bäckereibesitzerin gab ich eine Bäckerei, den Mechaniker machte ich zum Mechaniker, den Taxifahrer zum Taxifahrer, den Beamten ... – «Noch ein Bier!» rief der Profi und blätterte träge in dem Katalog, den der Spitzbärtige vor ihn hingelegt hatte. Dem Kellner fiel ein Teller zu Boden und zersprang klirrend, ein Kotelett schlitterte über den Kachelboden; aus dem Nichts erschien ein Dackel, fing es auf und zerrte es unter einen Tisch. *«Zwei! Tausend?»* Es war fast elf, und ich hatte Kopfschmerzen. So trank ich mein Mineralwasser aus, bezahlte und ging. Niemand grüßte mich, ich grüßte niemanden. Vorhang!

Kurz darauf fuhr ich für ein Semester nach Rom, um mein Studium an der Gregoriana, der Universität des Vatikans, zu Ende zu bringen. Pater Fassbinder hatte das vermittelt; offenbar hatte man Großes mit mir vor. Es war ein seltsames halbes Jahr: Die Stadt schwamm in Hitze, der Himmel war wochenlang wolkenlos, die Sonne brannte bösartig. Erst gegen Abend, wenn es abkühlte und das entsetzliche Licht in den Steinen versickerte, wurde es erträglich. Leute zogen vorbei und redeten schnell und lachten, und überall standen, saßen, gingen kurzberockte, dünngekleidete Mädchen. Normalerweise wurde ich damit fertig, und mein geübter Blick löste sie in abstrakte zweibeinige Figuren auf. Aber manchmal gelang das nicht, und dann stiegen mir Tränen in die Augen, und ich wandte mich schnell ab.

Ich wohnte in einem Konvikt des Vatikanstaates, und tagaus tagein sah ich mich umgeben von schwarzgekleideten, ernsten, vielbeschäftigten Klerikern. Ich sah die gewaltigen Gebäude, die Renaissancekirchen und die Menschen aus allen Ländern; und jetzt hatte ich wirklich, und stärker als je zuvor, das Gefühl, zu einer Gemeinschaft zu gehören, die den Planeten umfaßte und seine Geschichte, von einem Ende zum anderen. Ich begann, an meiner Diplomarbeit über Pascal zu schreiben, mit besonderem Gewicht auf seinen Traktaten zur Geometrie.

Einmal war ich bei einer Papstaudienz. Er sah krank und verschlafen aus; ich küßte seinen Goldring; von seiner Hand stieg ein bitterer Altmännergeruch auf. Er fragte mich etwas, aber er sprach so undeutlich, daß ich nichts verstand. Ich wagte es nicht, «Wie bitte?» zu fragen (kann man den Papst fragen: ‹Wie bitte?›), und nickte nur stumm. Ihm schien das zu genügen, und er schlurfte zum nächsten Besucher. Nichts an ihm wirkte bedeutend, alles war kraftlos und geistesabwesend. Seine Wangen hingen grau herab, man konnte sehen, daß er ein schlechtsitzendes falsches Gebiß trug. Und doch, das war der wichtigste Mensch der Welt, Gottes eigener Statthalter auf der verlassenen Erde. Als er die Reihe abgeschritten hatte, schlug er noch einmal ein schiefes Kreuz, dann wurde er hinausgeführt.

Kurz darauf (seltsamer, peinlicher Übergang vom Sakralen in profane Lächerlichkeit; aber was soll ich tun, die Zeit führte beides zusammen) gastierte Thomas Brewey in Rom, der berühmte Großmagier. Die Halle war fast ausverkauft, ich bekam nur noch einen schlechten Randplatz. Brewey trat unter dröhnender Popmusik auf, umflackert von Scheinwerferlicht. Er tanzte ein wenig, zerschnitt eine Assistentin mit einer Kreissäge, einer anderen hackte er den Kopf ab, eine dritte durchbohrte er mit vier Degen. Dann tanzte er wieder, dann holte er einen Mann aus dem

Publikum, dessen routiniert lässige Haltung schon von weitem den bezahlten Angestellten verriet, und holte eine Ente, einen Büstenhalter (Gelächter) und einige Geldscheine aus dessen Jackett. Dann tanzte er mit einer vierten Assistentin, steckte sie in eine Kiste, schloß die Kiste, öffnete die Kiste und ließ einen gähnenden, schlafmittelbetäubten Tiger herausspringen. Der Tiger wollte abgehen, Brewey hielt ihn fest, stieß ihn zurück in die Kiste, das arme Tier plumpste hinein, Brewey schloß die Kiste, öffnete die Kiste, und die Assistentin stieg heraus, verkrampft lächelnd, aber gesund. Dann aß er ein Schwert, ging auf seinen Händen und verwandelte sich unter einem sternenbestickten Seidentuch in eine Assistentin; eine weitere Assistentin verwandelte sich unter demselben Tuch in Brewey. Zuletzt ließ er zwei Tauben und einen zerschlissenen Papagei aus einem Hut flattern, und das war es. Verbeugung, Applaus, Abgang. Ich schlenderte am Tiberufer entlang, die Hände in den Taschen und kaute nervös an einer scharf schmeckenden Zigarette. Unter mir wehten Fledermäuse durch die Luft, das Wasser glitzerte silbrig. So nicht, so durfte man es nicht machen. So war es falsch und entwürdigend. Das wußte ich.

Da starb Beerholm. Sie fanden ihn an einem Nachmittag an seinem Schreibtisch, den Kopf auf einen Stapel von Aktenstücken gelegt, den Telefonhörer noch in der Hand und ein leises, dumpfes Besetztzeichen im Raum. Ich bekam kein Telegramm, nur die offizielle schwarzumrahmte Traueranzeige. Ich fuhr auch nicht zum Begräbnis. Wozu? Gräber sind ein Irrtum, ein Mißverständnis, was sollte ich dort? Ich kniete eine Stunde lang unter dem steinernen

Himmel der Peterskirche und versuchte, für Beerholms Seele zu beten. Aber ich kam mir dabei etwas lächerlich vor. Schließlich stand ich auf und ging. Und wenig später verließ ich Rom.

Und beendete mein Studium. Einige Schwierigkeiten, die ich mit meiner Abschlußarbeit hatte, konnten überwunden werden. Professor Waldthall, ein angesehener Pastoraltheologe, weigerte sich, sie anzunehmen, ebenso Professor Middlebrough. «Das ist Mathematik!» rief er, «und nicht Theologie, nicht? Sie sprechen hier vom Satz des Pascal. Welchem Satz bitte?»

«Von dem, der besagt, daß ein Sechseck genau dann Sehnensechseck einer Kurve … einer Kurve zweiter Ordnung ist, wenn die Schnittpunkte gegenüberliegender Seitengeraden auf einer Geraden liegen. Der sogenannten Pascalschen Geraden.»

«Vielleicht sollten Sie damit zu Fassbinder gehen.»

«Dort war ich schon. Er hat mich zu Ihnen geschickt.»

«Er hat wirklich? Oh. Nun dennoch, ich bin mir nicht sicher, ob … Sehen Sie, Sie schreiben zum Beispiel von einer Schnecke. Wo kommt hier eine Schnecke her?»

«Die Pascalsche Schnecke. Das Bild einer Kegelschnittkurve an einem Kreis, dessen Mittelpunkt ein Brennpunkt ist. Je nachdem, welche Kegelschnittkurve man wählt, bekommt man die gestreckte, spitze oder geschlungene Form einer Konchoide, wenn man den Radius des Inversionskreises …»

«Gut!» rief er. «Schon gut, danke!» Eine dunkelblaue Ader, gekrümmt wie ein Flußlauf auf einer Landkarte, zeichnete sich auf seiner Stirn, seine wenigen grauen

Haare vibrierten schwach. «Inwiefern soll das von ... – von theologischer Relevanz sein?»

«Pascal», sagte ich, «war doch Theologe, nicht? Und er hielt es für ... relevant. Vielleicht ist seine Arbeit zur Geometrie bedeutender als sein ziemlich unordentliches Notizbuch, die *Pensées*. Wußten Sie, daß er auch das Roulette erfunden hat? Und ich werde Ihnen gern erklären, wie es dazu kam ...»

«Danke», sagte er, «nicht nötig! Ich bin ... darüber ... informiert.» Er nahm seine Brille ab, suchte nach etwas, womit er sie putzen konnte, fand nichts und setzte sie wieder auf. «Also schön, ich nehme Ihre Arbeit an.» Er nickte gnadenvoll, ich war entlassen. Er gab mir ein *Sehr gut*. Ich weiß positiv, daß er die Arbeit nicht gelesen hat. Niemand hat sie je gelesen; und so modert sie in irgendeinem akademischen Archiv der Ewigkeit entgegen. Wie auch das hier, diese Seiten, geschrieben im Angesicht kaffeetrinkender Ausflügler und des hellen Todes, niemand lesen wird. Allenfalls du. Ach, machen wir uns nicht lächerlich! Auch du nicht.

Nun, damit war mein Studium zu Ende. Es folgten einige Monate strenger Gewissensprüfung und Einkehr. Was sich in der Praxis darin erschöpfte, daß ich mit strumpftragenden Kollegen auf einem Teppich sitzen mußte, um schlichte Lieder («Hey Gott, komm Gott!») zu Xylophonbegleitung zu singen. Einmal wagte ich es, den spirituellen Exerzitienleiter, Pater Rührhenkel, zur Seite zu nehmen. Ich hätte, sagte ich, an der Gregoriana studiert und über Pascal gearbeitet, ich besäße eine staatlich anerkannte Ausbildung, ob ich nicht wenigstens die

Schuhe anbehalten dürfe ...? Ich durfte nicht. Und bekam noch eine schlechte Beurteilung wegen mangelhaften Gemeinschaftsgefühles. Trotzdem wurde ich wenig später zu den niederen Weihen zugelassen. Knabenchor, Orgel und Bischof waren erhebend. Danach bot Pater Fassbinder mir das ‹Du› an. Jetzt war es nicht mehr weit bis zum nächsten, dem größeren Schritt.

«Ich habe», sagte ich zu Pater Fassbinder, «in den letzten Wochen so seltsame Träume gehabt ...»

«O nein!» stöhnte er. «Könnten ... Könntest du mich damit verschonen?»

«Nein, nicht diese Art von Träumen. Etwas anderes. Ich gehe auf der Straße, auf irgendeiner normalen Straße, manches an ihr kommt mir sogar bekannt vor. Und plötzlich fühle ich mich fallen. Oder nahe am Fallen. Als ob eine Gefahr in der Nähe wäre. Aber ich sehe sie nicht. Eine Art Unsicherheit liegt auf allem. Oder anders beschrieben: Es ist, als ob ich etwas daheim vergessen hätte. Etwas ganz Wichtiges. Aber ich erinnere mich nicht, was es ist. Oder anders gesagt ...»

«Danke, ich verstehe schon. Pater Rührhenkels Besinnungstage haben dir wohl nicht sehr geholfen? Zum Teufel, Arthur, wie oft soll ich es noch sagen: Ich *merke* es, wenn du grinst. Aber bitte sehr, wenn dir das zu leicht war, – du kannst es auch anders haben. Morgen reist du ab: Zwei Monate in Eisenbrunn. Sieh mal an, jetzt lächelst du gar nicht mehr.»

Eisenbrunn – wie das klingt! Nach Ländlichkeit und Mittelalter. Manche haben vielleicht von der Eisenbrunner Handschrift gehört, einer Sammlung wenig bedeutender mittelalterlicher Lieder und eintöniger Melodien. Das Kloster Eisenbrunn liegt in einer reizlosen, hügelarmen Landschaft, früher überzogen mit dunkelgrauen Wäldern, heute mit Wochenendhäusern eines tristen Mittelstandes. In der Nähe läuft eine vierspurige Autobahn vorbei; eine Hochspannungsleitung durchtränkt die Luft mit leise summender Elektrizität. (Ich ging nie in ihre Nähe; ich fürchtete einen plötzlichen und grundlosen Blitzschlag.) Irgendwo, in einer feuchten Höhle, entspringt eine Quelle ungenießbar schwefeligen Wassers – daher der Ortsname: Isenbronn, Eisenbrunn. Neulich erst kam ein listiger Mensch auf die Idee, das scheußliche Wasser in Flaschen zu füllen und als heilsam zu verkaufen; heute verdient er damit Millionen. Das Kloster selbst ist von keiner besonderen Schönheit. Gewölbte Gänge, ein feuchtes Refektorium, eine schmucklose Kapelle, eine Bibliothek voll langweiliger und unlesbarer Folianten. Es gibt einige beschauliche Kieswege zwischen braunen Gemüsebeeten und einen Säulengang für spazierende Brevierleser. In einer Nische steht ein erstaunlich vollkommener Steinbrunnen. Er ist oft fotografiert worden. Zum Glück sieht man dem Wasser nicht an, wie es schmeckt.

Die Mönche von Eisenbrunn stehen unter einem Schweigegelübde. Einem strengen. Das heißt, sie dürfen nichts sagen, zu niemandem, niemals. Nur Sonntag nachmittag dürfen eine halbe Stunde lang unbedingt notwendige Dinge geklärt werden. Kontakt zur Außenwelt hat nur der Abt; nur er darf sprechen. Aber er tut es selten und ungern.

Zunächst war es bloß langweilig. Morgens eine endlose

Messe (mein altes Problem: die furchtbare Ödnis der Gottesdienste), und dann nichts. Buchstäblich nichts. Gegen zwölf Mittagessen, um sieben Abendessen. Und dazwischen nichts. Nichts.

Kein Fernsehen, kein Radio, das war ja selbstverständlich. Aber auch keine Zeitungen, keine Bücher. Ich hatte nichts Lesbares mitnehmen dürfen, nicht einmal eine meiner kühlen, fachlichen Studien zur Zauberei. Auf Wunsch hätte ich glattes Papier und einen stumpfen Bleistift bekommen können, aber nur um meinen Lebenslauf zu schreiben oder eine numerierte Liste meiner Sünden. Beides wollte ich nicht.

Man hatte mir, mit Handzeichen, ein kleines Steinzimmer zugewiesen, möbliert mit einem Bett mit durchgelegener Matratze, einem Holztisch, einem Holzstuhl, einem Kleiderschrank, einem leicht angerosteten Waschbecken. An der Wand hing, dünn gerahmt, das Bild eines dümmlich starrenden Heiligen mit einer Blechscheibe über dem Kopf. Am zweiten Tag nahm ich es ab und versteckte es im Schrank. An der Wand gegenüber war ein Fenster; vor dem Fenster waren der Himmel, ein paar ferne Dächer mit Antennen darauf, ein Baum.

In diesem Raum also war ich Tag für Tag, Nacht für Nacht. Manchmal ging ich durch den Garten und hörte zu, wie der Kies unter meinen Schuhen knirschte. Zu Beginn wanderte ich viel durch den Kreuzgang, aber nach zwei Wochen, als ich bemerkte, daß mir schon jede einzelne Säule vertraut war, ließ ich das sein. In der vierten Woche schlich ich mich davon, in das nächste Dorf, wo man mir in einem stickigen Gasthaus ungenießbaren

Schnaps servierte. In einer Ecke plärrte ein Fernseher, dicke Hände schlugen Karten auf eine feuchte Tischplatte, es roch nach Bier und Bratfett. Ich versuchte, ein Gespräch mit dem Wirt anzufangen, aber der sah mich ungläubig an und antwortete nicht. Plötzlich wurde mir schlecht. Ich trank den Schnaps aus, stand auf und ging durch die welke Landschaft in meine Zelle zurück. Dort schämte ich mich entsetzlich.

Man gab mir auch nichts zu arbeiten. Ich hätte gerne Löcher gegraben, Beete geharkt, Ziegelmauern gebaut. Aber ich durfte nicht. Ich saß herum, ging auf und ab und wartete darauf, daß etwas geschah, und wußte, daß nichts geschehen würde. Eine Zeitlang spielte ich mit einem Kartenpaket, das ich heimlich mitgebracht hatte, legte Systeme, übte die Volte, probte alle Techniken und Kunststücke, die mir einfielen. Dann hörte ich selbst damit auf. Weißt du, daß die Stille, die wirkliche Lautlosigkeit, wie ein Rauschen klingt? Wie ein ferner, nicht abstellbarer Wasserhahn?

Wie gesagt, am Anfang kam es mir bloß dumm vor. Ich setzte ein ironisches Lächeln auf – was außer den unbeeindruckbar schweigenden Mönchen keiner sah – und beschloß, die Sache von ihrer komischen Seite zu betrachten. Dann, nach und nach, fand ich heraus, daß sie keine komische Seite hatte. Und dann wurde es unerträglich. Die Alpträume wurden schlimmer, und der schlimmste Alptraum war der lange, helle, rauschende, nicht endenwollende Tag. Der Tag in einer Zelle mit dicken weißen Wänden, die so aussahen, als ob im nächsten Moment ein fremdes Wesen sie beiseite streifen würde und vor mich hintreten in unvorstellbarer Schrecklichkeit. Oder draußen unter einem kalten Himmel zwischen stummen Gemüsestauden. War ich denn nicht mein Leben lang allein gewesen? Nein, ich war es nicht, ich war nie wirklich allein gewesen. Jetzt war ich es.

Eine Zeitlang, es muß wohl für etwa eine Woche gewesen sein, brach ich mehrmals täglich in Tränen aus. Einige Male bekam ich hysterische Anfälle, hüpfte auf und ab, schrie, ließ mich auf den harten Boden fallen, aber da niemand sich darum kümmerte, kam ich davon wieder ab. Ich überlegte ernsthaft, einen der Mönche zu erschlagen, nur um die Aufmerksamkeit der anderen zu erregen, um sie in irgendeine Reaktion zu treiben. Ich hatte mir bereits einen besonders hageren mit faltigem Gesicht und tiefliegenden Augen ausgesucht und auch schon über die geeignete Waffe nachgedacht. Ich war nahe daran, wirklich. Ein andermal lebte ich einen Tag lang in der festen Überzeugung, daß ich gestorben war. Das hier mußte das Jenseits sein, ein Ort außerhalb der Grenzen der Zeit, eine lautlose, ereignislose Hölle.

Weißt du eigentlich, daß man ununterbrochen auf sich selbst einredet? In einem Winkel unseres Kopfes sitzt ein Schwätzer und spricht, spricht, spricht vom Augenblick unseres Aufwachens bis in die letzten im Dunkel verschwimmenden Regungen vor dem Einschlafen. Worüber? Über alles. Über Himmel und Erde, über alle Dinge der Welt und noch viele mehr. Er sagt ungefragt philosophische Lehrsätze auf, gleitet in einen Vortrag über Landwirtschaft, macht sich plötzlich über einen Hut lustig, den vor vielen Jahren ein alberner Schuldirektor getragen hat, kommentiert Rautenmuster, die er in der weißgekalkten Wand zu sehen glaubt, und wenn ihm gar nichts mehr einfällt, wiederholt er lieber Werbesprüche oder summt Schlagertexte nach, als bloß für eine verfluchte Minute den Mund zu halten. Wir sind mit ihm eingesperrt, er ist unser Zellengenosse fürs Leben. Ich kann dir nicht beschreiben, wie ich ihn haßte. Ich sehnte mich danach, ihn mir aus dem Gehirn zu reißen, ihm sein ekelhaftes, halbgebildetes, eitles Gesicht (doch er hatte ja keines) einzuschlagen, ihm seinen dünnen Hals zuzudrücken, bis er nach Luft röcheln und keine Luft mehr finden und endlich, endlich krepieren würde. Wenn ich mich ganz darauf konzentrierte, – würde ich ihn dann abwürgen können? Würde ein einziger Moment völliger Ruhe ihn nicht für immer auslöschen, so wie eine Flamme ausgeht, wenn sie bloß eine Sekunde keinen Sauerstoff bekommt? Es mußte doch gehen! Ich schloß die Augen, rührte mich nicht, hörte auf zu atmen und richtete alle Aufmerksamkeit auf das schwarze rauschende Nichts um mich. Ein langer, leerer Augenblick verstrich, dann – deutlich, klar, sachlich – hörte ich ihn sagen: «Trinke Bier zu jeder Zeit für Freude, für Zufriedenheit.» Er überlegte kurz und fügte hinzu: «*Maymart*. Das ist die Zigarette für den Mann. Für den Mann. Den Mann.» Dann räusperte er sich und begann zu singen: «Hab' ich nur deine Liebe, die Treue brauch' ich nicht …!»

Und das war er: Der Moment der äußersten, der letzten, der wirklichen Verzweiflung. Ich weinte nicht, das hatte ich hinter mir. Ich rührte mich nicht, ich öffnete nicht einmal meine Augen. Ich tat gar nichts. Ich hörte ihm zu und versuchte, mit der Gewißheit fertigzuwerden, die gerade, woher auch immer, auf mich gestürzt war. Daß ich ihm nicht entkommen würde, niemals. Daß er bei mir sein würde, immer und überall bis in die graue Ewigkeit. Daß er mit mir in die andere Welt kommen würde, in jede andere Welt. Daß ich das selbst war. Jawohl, ich. Dieser werbespruchträllernde Idiot, das war meine Seele.

Daraufhin legte ich mich ins Bett und schlief zwei Tage lang. Ich vermute wenigstens, daß es zwei Tage waren, damals wußte ich es nicht. Ich sah nicht auf die Uhr, bevor ich einschlief, und ich tat es nicht, als ich aufwachte. Ich glaube, ich hatte vergessen, daß es die Zeit gab, daß Zeit aus irgend etwas anderem bestand als dem Wechsel von Hell und Dunkel in meinem Zimmer und dem Rauschen, dem nie sich ändernden Rauschen ... –

Was mich aufweckte, war der Hunger. Nein, vor allem der Durst, dann erst der Hunger. Ich hatte Kopfschmerzen. Und ich mußte auf die Toilette. All das vermischte sich zu einem lastenden Gefühl von Ungenügen, Bedürfnis und Körperlichkeit. Ach, und rasieren mußte ich mich auch. Und waschen. Und anziehen. So viel war zu tun, um dieses klumpige Stück Materie in Ordnung zu bringen, das zu mir gehörte und das ich doch fallenlassen würde wie ein aus der Mode gekommenes Kleidungsstück.

Ich erledigte alles, was zu erledigen war, stapfte durch das Echo der Steingänge ins Refektorium, wo ein Fremder mir stumm ein feuchtes Stück Brot, eine geschmacklose Suppe und etwas Kaffee vorsetzte. Langsam kam ich wieder zu mir.

Aber von nun an wurde es besser. Ich bekam keine hysterischen Anfälle mehr; im Gegenteil, ich fühlte, wie ich ruhiger wurde. Die Stille war jetzt weniger bedrohlich, die Wände des Zimmers gewannen wieder an Festigkeit. Eines Nachts fand ich mich am Fenster. Das Wetter war klar, und der Himmel sehr schwarz. Und darin eine Unzahl matt leuchtender Sterne. Auf einmal, zum ersten Mal in meinem Leben, begriff ich, daß alle diese Millionen Sonnen vorhanden waren, wirklich und vollständig da, und daß sie keine Schrift waren, die es zu entziffern galt, kein Symbol meines Schicksals, kein kunstvoll gemaltes Bild. Sie hatten nichts mit mir zu tun, sie waren da draußen, und sie brauchten mich nicht. Und seltsamerweise war das beruhigend. Kurze Zeit später lag ich wieder im Bett und versuchte, mir vorzustellen, wie jeder Himmelskörper in Bewegung war und wie sie alle auf ihren Bahnen durch die Nacht zogen; da war kein Ding, das ruhte. Wo war der winzige unbewegte Punkt, der Ort der Leere, um den alle Körper kreisten? Man mußte ihn finden ... – Aber vielleicht war das gar nicht nötig. Vielleicht war ich dieser Punkt.

Später wachte ich noch einmal auf; ich hatte einen seltsamen langen Traum gehabt. Ich stand auf und ging zum Fenster. Die Sterne waren noch da. Sie leuchteten kühl, aber ich wußte: Jeder von ihnen bestand aus Feuer, aus einer lodernden kosmischen Katastrophe. Sie verbrannten, und irgendwann würden sie kalt sein. Im Inneren der Welt flackerte Licht; aber langsam, unendlich langsam verlor es an Kraft. Ich rieb mir die Augen und ging wieder zu Bett.

Als ich aufwachte, war es hell. Die Sonne hatte bereits ein Drittel der Himmelshöhe unter sich gebracht, ein

Hubschrauber, brummend wie ein Käfer, zog vorbei, eine verstimmte Kirchenglocke läutete. In einem Winkel des Fensters saß eine kleine Spinne in einem tauglänzenden Netz und wartete, umgeben von Diamanten, auf Opfer. Eine Krähe landete im Garten und pickte nach Würmern. Der Himmel war blau, wolkig und hoch, das Spinnennetz zitterte im Wind. Die Spinne erschrak und begann, sich abzuseilen. In der Ferne bellte ein Hund.

Ich zog meinen Mantel an und ging hinaus. Ein lehmiger Weg begann an einem Nebeneingang des Klosters und entrollte sich bis zum Horizont, wo er zwischen zwei stumpfen Hügelkuppen verschwand. Es roch nach Erde und feuchtem Gras; der Wind wurde stärker. Er zerrte an meinem Mantel, zog an meinen Haaren und schleuderte mir ein angerostetes, dreizackiges Blatt ins Gesicht, das er einem einsamen Baum – dem vor meinem Fenster – weggerissen hatte. Ich mußte lachen, und in diesem Moment begann es zu regnen. Ich sah erstaunt nach oben, und tatsächlich: Eine Gruppe gelblicher Wolken hatte sich vor die Sonne geschoben und warf einen breiten, nassen Schatten auf die Erde. Der Regen fiel in dicken Tropfen: Ich knöpfte meinen Mantel zu, klappte den Kragen hoch und ging weiter. Über meinen Kopf rann das Wasser, der Boden unter meinen Füßen zerfloß zu einer braunen Flüssigkeit, überall um mich prasselten, hüpften und spritzten Tropfen, die Grashalme tanzten, als wären sie lebendig. Hinter mir schmiegte sich das Kloster an den Erdboden wie ein großes Tier. Jetzt wurde der Regen stärker, der Wind holte aus und gab mir eine klatschende, feuchte Ohrfeige. Ich lachte wieder, und plötzlich stand ich in einem dunklen, rauschenden Platzregen. Alle Luft zwischen mir und dem Himmel schien in stürzendes Wasser verwandelt; die ganze Welt wollte sich auflösen. Bald würde ich keine trockene Stelle mehr am Körper haben. Und trotzdem, ich rührte mich nicht.

Pater Fassbinder saß an seinem Schreibtisch. Vor ihm stand die Maschine; die Tasten klapperten unter seinen Fingern. Er wandte mir nicht den Kopf zu, und das machte mich immer noch unsicher, jedes Mal.

«Komm herein, Arthur! Setz dich!»

«Woher hast du gewußt, daß ich es bin?» Er erwartete, daß ich das fragte.

Er lächelte stolz. «Ich wußte es nicht. Ich habe es bloß vermutet. Wie war es in Eisenbrunn?»

«Das ist schwer zu sagen ...»

«Eine merkwürdige Erfahrung, nicht? Ich war vor Jahren einmal dort, und ich hätte fast meinen Verstand verloren. War die Stille sehr schlimm?»

«Nachts. Sie klingt wie Rauschen. Wie fließendes Wasser.»

«Das ist das Blut in deinen Ohren.»

«Ach ja. Wie einfach!»

«Fast alles ist einfach, Arthur.»

Ich setzte mich, rieb mir nervös die Hände und wartete.

«Nun – und? Hat es gewirkt? Die Träume noch immer schlimm?»

«Nein, nicht mehr.»

«Gut. Dann sind die Zweifel wohl vorbei? Du weißt jetzt, was du willst?»

«Ja. Ich will nicht Priester werden.»

Seine Hände hoben sich von der Tastatur, schwebten einen Augenblick lang flach ausgestreckt in der Luft und senkten sich wieder. Ich hörte mein Herz klopfen: Jetzt war es gesagt. Zwei schlaflose Nächte lang hatte dieser Moment vor mir gestanden. Jetzt war er da. Ich hatte es wirklich gesagt.

«Was hast du gesagt, Arthur?»

«Du … Du hast mich richtig verstanden. Ich habe … Ich will nicht Priester werden. Jetzt nicht mehr.»

Langsam lehnte er sich zurück und drehte sich mir zu; der Sessel quietschte in seiner Federung. Pater Fassbinder sah plötzlich dünn und scharf gezeichnet aus. Ich wagte nicht, ihn anzusehen, und blickte auf die braunlederne Reihe von Buchrücken hinter seinem Kopf. Verfassernamen in Goldbuchstaben. Ein einzelner Lichtstrahl fiel durch ein blindes Deckenfenster, durchschnitt das Zimmer und zeichnete einen hellen Kreis auf die Wand.

«Und was», fragte er, «war wohl die Ursache für diesen Umschwung?»

«Das ist schwer zu sagen … Nach den letzten Wochen habe ich das Gefühl, nicht mehr ganz derselbe zu sein. Es ist, als ob …»

«Steckt eine Frau dahinter?»

«Nein!» rief ich. «Wirklich nicht! Das ist unsinnig!» (Log ich hier eigentlich? Ich frage dich: Habe ich gelogen?)

«Ach so. Dann haben wir vermutlich bloß unser Karriereziel geändert. Du möchtest lieber ein Varietézauberer sein.»

«Aber nein, um keinen Preis!» (Und hier, ich schwöre es, sprach ich die Wahrheit.) «Das ist ein … ein Mißverständnis. Ich bin einfach zu der Ansicht gekommen, daß ich nicht geeignet bin …»

«Wenn wir dich nicht für geeignet hielten, wärst du nicht hier. Mach dir deshalb keine Sorgen!»

«Nein, das ist es auch nicht.» Im Inneren des Lichtstrahls war ein Schwarm silberner Staubkörnchen eingesperrt und tanzte die Bewegungen eines nicht spürbaren Luftzugs nach.

«Es ist ein Irrtum, und er wird dir leid tun. Überleg dir genau, was du tust! Wenn du jetzt gehst, wirst du bald entdecken, daß du unrecht hattest, aber du wirst trotzdem nicht zurückkommen. Du bist hochmütig, Arthur.»

«Ich werde es dir erklären …»

«Du mußt mir nichts erklären.» Der Lichtstrahl erlosch, offenbar war eine Wolke vor die Sonne gewandert. «Du sollst dir auch keine Argumente ausdenken, darum geht es nicht. Es geht um eine Entscheidung für dein Leben. Noch ist Zeit. Wenn du wirklich Zweifel hast …»

«Ich …»

« … dann geh. Geh sofort und für immer. Du tust uns keinen Gefallen, wenn du zu uns kommst, nur wir tun dir einen, wenn wir dich aufnehmen. Man gewährt uns keine Gnade, alle Gnade geschieht durch uns. Ohne uns wird die Welt zu dem engen und öden Platz, der sie für die meisten Menschen schon ist. Sie wissen es nicht, aber sie bekommen ihre Würde von uns. Ohne uns sind sie Affen, die sich für was Besseres halten. Wir brauchen niemanden. Wir brauchen auch dich nicht.»

Der Lichtstrahl, wie angeknipst, leuchtete wieder auf und begann von neuem, die Wand zu betasten. Ich schluckte; mein Hals fühlte sich trocken an.

Und dabei gab es so viel zu sagen. Über die endlosen Nächte, die Sekunde um Sekunde einer fahlen Dämmerung entgegenkrochen; und keine Tablette gab mehr Schlaf. Wie viele von ihnen hatte ich hinter mich gebracht, seit dem Tag, als ich im Regen plötzlich vor der Gewißheit gestanden hatte, daß ich nicht Priester sein würde. Ich fühle noch immer das Wasser um mich rasen und den Boden unter mir davonfließen, und auf einmal sagt alles – Erde, Himmel, Gras, Regen und der einsame gepeitschte Baum – den einen Satz: Du wirst es nicht werden. Du nicht. Als der Regen vorbei war, stapfte ich durch die aufgeweichte Landschaft zum Kloster zurück. Ein alter Mönch, das Gesicht zerfurcht von einem ereignislosen Leben, kam mir entgegen und nickte mir verständnisvoll zu, als ob er wußte, was passiert war.

Und die nächsten Tage! Ich versuchte, es mir auszureden und mich doch noch anders zu entscheiden – aber vergeblich. Da war nichts zu überlegen, kein leuchtendes Für gegen ein drohendes Wider abzuwägen; da war nur eine kühle Klarheit: Du wirst es nicht werden. Und dabei war ich gelassener, ausgeglichener, mehr im Gleichgewicht als je zuvor. Manchmal bemerkte ich mit hilfloser Überraschung, daß der kleine Schwätzer in mir gerade ruhig gewesen war. Vor meinem Fenster, über dem Baum und schillernd im grauen Silber des Spinnennetzes, ging die Sonne auf und unter. Ich sah ihr zu, hörte die Stille rauschen, manchmal unterbrochen vom Brummen der Flugzeuge und Autos, und fühlte mich im Einklang mit all dem, mit allem, was geschah, mit allem, was geschehen konnte. Das ablaufende Wasser im Waschbecken gluckste und drehte sich dabei mit der Achse des Planeten. Im Garten reifte das Gemüse und roch nach Herbst. Manchmal war der Himmel klar, manchmal regnete es, und zuweilen streiften funkelnde Gewitter durch die Atmosphäre. Was immer ich auch tat, es gab etwas, das bestand und gut war.

Nein, Priester würde ich nicht werden. Die Entscheidung war gefallen, und ich war nicht einmal imstande, einen klaren und bestimmten Grund zu nennen. Wozu es jetzt, nach all der Zeit, noch versuchen? Wer versteht sich schon selbst? Wer versteht schon irgend jemanden? Nur Idioten wagen die Behauptung, sie verstünden einen Menschen. Niemand tut das, vielleicht nicht einmal Gott. Ein seltsamer Gedanke: Der Mensch, das höchste Wesen. Und warum? Weil er anders ist als die feuchtnasigen Tiere und die gleißenden Engel. Weil er, nur er, von Gott nicht ganz verstanden wird. Und der Illusionist? So gesehen könnte er, der verwirrendste der Menschen, auch deren höchste Stufe sein. Der Zielpunkt der Schöpfung ... –

«Das ist eine Häresie! Und eine ziemlich dumme dazu.»

Ich sah auf und starrte Pater Fassbinder beunruhigt an. Hatte ich denn laut ...? Oder las er meine Gedanken? Eine unerfreuliche Möglichkeit.

«Ich bin verpflichtet, dir folgendes zu sagen: Zweifel, mein Lieber, ist eine Todsünde. Er hat, entgegen allem, was geistreiche Zyniker behaupten, nichts Amüsantes. In ihm zu verharren, tötet. Du mußt dich nicht übereilen. Du kannst ein Jahr Urlaub nehmen, verreisen, dich Exerzitien unterwerfen, nichts oder viel essen, wie du willst. Das alles ist möglich.»

Ich schüttelte den Kopf. «Nein, ich glaube, das ... – nützt nichts mehr. Ich habe mich entschieden.»

«Gut. Ich könnte dich wahrscheinlich noch überreden, aber damit hätte ich unserer Sache bloß einen ungeeigneten Mann mehr gewonnen. Darf ich mich erkundigen, was du jetzt vorhast?»

«Ich weiß es nicht.»

«Das dachte ich mir. Würdest du unsere Hilfe annehmen?»

«Nein.»

«Dachte ich mir auch. Trotzdem: Solltest du es dir anders überlegen, komm zu mir. Niemand, der uns nahegestanden hat, soll je verhungern müssen. Du gehörst zu uns, Arthur, das wirst du nie ändern können. Du hast dich einmal in den großen Zug eingereiht, und ob du willst oder nicht, du wirst mit uns in Palästina ankommen. Eines Tages.»

Ich lächelte. «Vielleicht schon bald ...?»

Er nickte. «Vielleicht schon bald.»

Eine Weile sagte keiner von uns beiden etwas. Sein scharfer, aufmerksamer, toter Blick lag auf der Tischplatte vor ihm; er hatte den Kopf zur Seite gelegt und die Augen halb geschlossen, als ob er auf etwas hörte, das ich nicht hören konnte. Ich sah mich unbehaglich um: Draußen mußten halb durchsichtige Nebelwolken vorbeiziehen, denn der Lichtstrahl flirrte unsicher, und die Staubkörnchen waren kaum noch zu sehen. Ich schluckte, dann stand ich auf.

«Auf Wiedersehen», sagte ich und schüttelte sofort ärgerlich den Kopf über mich.

Aber zu meiner Überraschung blieb er ernst. «Ja», sagte er und streckte mir seine Hand entgegen, «bestimmt. Ganz bestimmt, Arthur.» Sie fühlte sich kalt und merkwürdig an, ein wenig wie die Hände der Steinfiguren, die man im Museum schnell berührt, wenn man sicher ist, daß einen niemand sieht. Ich ging zur Tür, ohne mich noch einmal umzudrehen. Und trat hinaus.

Ich hatte recht gehabt: Vor den Fenstern lag nebliges Frühherbstwetter. Zwei schiefe Bäume ließen braune Blätter auf parkende Autos fallen; am Himmel folgte ein Krähenschwarm einem einsamen Flugzeug. Ich dachte an die Geometrie; an die Kurve, die es nie schafft, zur Geraden zu werden; an eine Hyperbel, die die Unendlichkeit nicht erreicht. Und an die fernen, hellen Figuren in den Kirchenfenstern. Ich seufzte und fühlte mich seltsam. Während ich zum letzten Mal die Treppe hinunterstieg, zündete ich eine Zigarette an und sah, ohne sie in den Mund zu nehmen, zu, wie die Rauchwölkchen aufstiegen, blasser wurden, verschwanden. Als ich unten war, warf ich sie weg, ohne einen Zug geraucht zu haben. Vor der Drehtür zögerte ich, und für einen Moment war ich nahe daran, umzukehren. Aber dann wurde mir klar, daß ich das nicht konnte. Daß es vorbei war. Also seufzte ich, schob alle Wehmut zur Seite und ging weiter.

VI

Es war unerhört schwer, an Jan van Rodes Adresse zu kommen. Seine Bücher verschwiegen sie, sein Verlag verkehrte mit ihm nur über einen Rechtsanwalt, und dieser verweigerte jede Auskunft. Er war Ehrenvorsitzender des Magischen Zirkels, aber da ich nicht Mitglied war, gab man keine Informationen an mich weiter. Und selbst nachdem ich einen mediokren Zauberer bestochen hatte, brachte der nichts anderes heraus, als daß der Verein keinen Kontakt zu van Rode hatte und daß dieser schon seit zwölf Jahren seinen Mitgliedsbeitrag schuldig war. In keinem Telefonbuch, keiner Datei, keinem Branchenverzeichnis schien er auf; und das *Who's Who* nannte bloß seinen Namen, doch keine Anschrift.

Es gibt verschiedene Möglichkeiten, an solch ein Problem heranzugehen. Man kann beten. Man kann weiter und weiter suchen an immer abstruseren Orten. Man kann Bittgesuche an hohe Persönlichkeiten richten. Oder man kann zu einem Privatdetektiv gehen, ihm die Umstände schildern, und eine Woche später hat man, was man gesucht hat. Natürlich, finanziell ging das über meine Verhältnisse. Aber ich konnte es nicht lassen, mich so zu benehmen, als wäre ich reich. Der Detektiv – derselbe übrigens, den ich später auf meine Mutter ansetzte – legte mir nach acht Tagen stolz und unrasiert eine hohe Rechnung vor und dazu ein Blatt Papier mit einer Adresse in einer bürgerlichen, asphaltfarbenen Wohngegend in einer nahen, mittelgroßen Stadt.

Daß mein Brief nicht beantwortet wurde, wunderte mich nicht. Daß kein Telefonanschluß da war, auch nicht. Ich hatte nicht erwartet, daß es einfach sein würde.

Es war ein niedriges Reihenhaus, das in allem so aussah wie seine Nachbarn rechts und links und wie deren Nachbarn. Zwei Fenster glotzten auf die Straße hinunter; neben der Tür stand eine schwarze Plastiktonne und wartete auf die Müllabfuhr. Eine hastige Inspektion förderte Bananenschalen zutage, Milchpäckchen – Ablaufdatum in zwei Tagen –, Zeitungen, Staubsaugerbeutel, einen nach Fisch riechenden leeren Pappkarton, benutzte Taschentücher. Es stand außer Zweifel: Das Haus war bewohnt; jemand war zu Hause.

Sicher, jetzt hätte ich läuten können. Aber was, wenn er gerade nicht da war oder – schlimmer –, wenn er arbeitete oder in der Badewanne saß? Ich konnte es mir nicht leisten, abgewiesen zu werden. Ich hatte bloß eine Chance.

Drei Tage lang beobachtete ich das Haus, drei Tage und zwei Nächte. Ich hatte mir ein Mietauto beschafft, mit dem ich auf der anderen Straßenseite parkte. Es wurde Nacht und es wurde Tag. Kinder mit zu großen Schultaschen rannten die Straße hinunter, Männer mit Aktentaschen stiegen in Autos und fuhren davon. Straßenkehrer wirbelten Dreck auf, Frauen schleppten Einkaufstaschen vorbei und zogen Hunde hinter sich her. Zwei- oder dreimal stieg ich aus und ging ein wenig auf und ab. Zu Mittag aß ich hastig – Was, wenn er gerade jetzt auftauchte? – in einem nahen Gasthaus mit mangelhafter Küche (und reden wir nicht von den Toiletten). Die Kinder kamen zurück. Der östliche Himmel wurde dämmrig; der Westen schimmerte rot. Die Autos kehrten zurück, die Männer stiegen aus und schlurften in die Häuser. Aus den Schornsteinen stieg knolliger grauer Rauch. Es wurde dunkel; die Straßenbeleuchtung schaltete sich ein. In van Rodes Fenstern ging das Licht an, und über die Gardinen glitt ein länglicher Schatten. Der Halbmond stieg auf und versank, ein paar Sterne leuchteten. Dann geschah nichts mehr, keine Bewegung, nirgendwo. Die Zeit stand. Gegen halb zwei schlief ich ein.

Am nächsten Tag war es genauso. Kinder, Männer, Straßenkehrer. Dann Frauen und Hunde. Dann lange nichts. Dann die Rückkehr der Kinder, Dämmerung, Rückkehr der Männer. Rauch. Das ist es, dachte ich, das ist das Leben. Und mehr nicht.

In diesem Moment passierte etwas: Van Rodes Haustür ging auf, eine Frau trat heraus und warf einen Plastikbeutel in die Mülltonne. Sie war klein, hatte kurze schwarze Haare und mußte ungefähr fünfzig sein. Sie sah nett aus. Dann ging sie hinein, und die Tür schloß sich. Später leuchteten wieder die Fenster auf. Und die Nacht begann.

Ich wachte gegen sechs Uhr auf, noch vor Sonnenaufgang. Ich fühlte mich ausgeruht wie schon lange nicht mehr. Vielleicht, dachte ich, sollte man öfter in einem Auto übernachten, vielleicht ist das das geheime Rezept gegen gestörten Schlaf. Alles lief ab wie am Tag davor und am Tag davor und vermutlich jeden Tag. Mittlerweile spürte ich keine Langeweile mehr, in mir war vollkommene Ruhe, ich war Zuschauer, sonst nichts. Immer wieder vergaß ich ganz, daß ich überhaupt hier war, daß es auch mich und nicht nur die bevölkerte Welt vor meiner Windschutzscheibe gab. Ich hätte ein Leben lang so dasitzen können.

Ungefähr um zwölf, die Sonne stand im Zenit und löschte die Zeiger der Sonnenuhren aus, trottete eine dicke Frau mit einem Pudel unter dem Arm vorbei, blieb stehen, warf einen, noch einen, einen dritten mißtrauischen Blick auf mich und ging weiter. Ich sah ihr beunruhigt nach und überlegte, ob ich besser wegfahren sollte und mein Unternehmen abbrechen. Was, wenn sie die Polizei rief? Schwierigkeiten mit uniformierten Pistolenträgern konnte ich mir bei meiner schwankenden und kriminellen Lebensgrundlage nicht leisten. Aber als nach zehn ängstlichen Minuten noch kein grünes Auto aufgetaucht war, faßte ich wieder Mut und beschloß zu bleiben. Ich hatte zu lange gewartet. Eigentlich hatte ich mein Leben lang gewartet.

Wie alt war ich eigentlich? Nun, vier- oder fünfundzwanzig. Wenn ich die äußeren Daten meines Daseins behandle, komme ich leicht durcheinander; meine sonst so zuverlässigen mathematischen Fähigkeiten verweigern sich, wenn sie meine eigenen Jahre zu einem berechenbaren Ganzen ordnen sollen. Als ob mein Leben nicht aus zählbaren Stunden, Minuten, Sekunden bestünde wie jedes Leben. Wie lange war es her, daß ich mich dem höchsten Amt entzogen hatte? Eineinhalb Jahre, vielleicht zwei. Was hatte ich seither getan? Eigentlich nichts.

Nichts Wesentliches zumindest. Man könnte sagen, ich war in einem sehr simplen und ökonomischen Sinn damit beschäftigt, zu überleben. Das Angebot, in einer katholischen Privatschule zu unterrichten, mußte ich nach einem einzigen Probetag ablehnen. (Wenn du es wissen mußt: ein vierzehnjähriges Monster schoß aus einem Blasrohr eine Stahlkugel auf mich und verfehlte; ich, genau innerhalb der Frist, die mir das Gesetz für Reflexhandlungen zugestand, nahm meinen Kugelschreiber, schleuderte und traf; für den Rest der Stunde gab es keine Probleme mehr, der Junge brauchte eine Nasenoperation, meine Tätigkeit war beendet.) Dann versuchte ich etwas anderes: Eine ganze Woche lang saß ich an einem Schreibtisch und betrachtete ausgefüllte Formulare. Als mir zum ersten Mal eines von ihnen im Traum erschien, kündigte ich. Fast einen Monat arbeitete ich bei einer renommierten Brillenfirma, doch mit der Zeit wurde es schlimmer und schlimmer. Ich schlief fast gar nicht mehr, und keine Beruhigungstablette vermochte mehr etwas gegen das Grauen, mit dem ich morgens mein Büro betrat, gegen die fürchterliche Drohung, die sich hinter den flackernden Leuchtstoffröhren, dem Glimmen der Computerschirme, dem Grinsen der Kollegen, dem Spucken und Brodeln der großen Kaffeemaschine in der Ecke verbarg. Als ich bemerkte, daß meine sonst so verläßlich ruhigen Hände selbst am Sonntag abend noch zitterten, wußte ich, daß ich aufhören mußte.

«Aber was soll das denn?» rief der Personalchef, ein Mann mit Glatze und besonders eleganter Brille – einem der Vorführmodelle. «Wir sind sehr zufrieden mit Ihnen! Warum denn kündigen? Warum?»

Ich lächelte und bemühte mich, höflich zu klingen. «Weil ich das hier hasse. Und Sie alle. Jeden von Ihnen. Auch Sie.» Von da an galt ich beim Arbeitsamt als schwer vermittelbar.

Und jetzt stand ich vor ernsthaften Schwierigkeiten. Mein Sparbuch, in besseren Zeiten beladen mit einem fast unerschöpflichen Guthaben, war kaum noch mehr wert als das dünne bläuliche Papier, aus dem es bestand. Zwischen mir und der Armut stand nur noch ein Album mit ein paar Goldmünzen, und das, so erfuhr ich von einem breitschultrigen Pfandleiher, war weniger wert, als ich gehofft hatte. Es mußte etwas geschehen.

Und zwar bald. Ich schloß also meine Tür ab, setzte mich und stellte mir, und diesmal in allem Ernst, dessen ich fähig war, die Frage: Was kann ich überhaupt? Nun, ich konnte Schifahren und Golfspielen. Ich war leidlich gut in darstellender und analytischer Geometrie wie auch in höherer Algebra. Ich kannte Origines, Augustinus und Thomas oberflächlich und Pascal ziemlich genau. Meine Sprachkenntnisse waren bescheiden. Büros und U-Bahnen erinnerten mich an die Hölle. Mit Spielkarten konnte ich so ziemlich alles anstellen.

Was also blieb mir übrig? Es kam mir widerlich vor, aus meiner Passion, meiner Leidenschaft, meiner Freude Geld zu machen, es war – ich glaube, an dieser Stelle habe ich das Recht, pathetisch zu sein –, als wollte ich eine Geliebte verkaufen. Aber zum Teufel, jeder muß überleben, auch ich. (Und wieder fragt eine tiefe, hämische Stimme ihr schlichtes: «Warum?») Etwa drei Tage lang streifte ich durch Bars, Restaurants, Fast-Food-Läden und billige, in

Ölgeruch dämmernde Spelunken und bot desinteressierten Wirten meine Dienste an. Schließlich fand ich einen, der bereit war, mich für wenig Lohn zu engagieren.

Es war ein spießiges, lichtloses, mit rotem Plüsch beklebtes Nachtlokal mit schlecht funktionierender Lüftung und zu allem Überfluß noch dem Namen *Chez Janine*. Der Besitzer hieß in Wahrheit Fred Raspowitz, hatte graue Haare und tiefe Ringe unter den Augen, weil er niemals schlief. Er sah so jämmerlich aus, daß ich es nicht über mich brachte, mehr Geld zu fordern, als er mir anbot; und das war wohl auch der Grund dafür, daß er mir die Stellung sofort gab, ohne auch nur vorher eine Probe meiner Fähigkeiten zu verlangen.

Ich trat jeden Abend gegen zehn Uhr auf, nachdem eine über sechzigjährige Sängerin, glänzend vor Schminke, zu Klavierbegleitung eine seltsame Version von «*Where have all the flowers gone?*» vorgetragen hatte. Normalerweise ging ich von Tisch zu Tisch und führte ein kurzes Kartenprogramm vor. Fünf Kunststücke davon hatte ich selbst entwickelt, drei gewannen zwei Jahre später den «*Grand Prix de l'Escamotage*». Ich kann nicht behaupten, daß dem Publikum das auffiel. Zum größten Teil bestand es aus Wesen mit starren Versicherungsvertretergesichtern; es waren hauptsächlich kleine Angestellte, die glaubten, in eine fremde, zwielichtige, verrufene Welt eingetaucht zu sein. Die Frauen waren unpassend angezogen, lachten zuviel und blickten aufmerksam um sich, in der Hoffnung, eine Berühmtheit zu sehen; die Männer schwitzten und bestellten viel zu teure Getränke, um die Kellner zu beeindrucken. Meiner Darbietung folgten sie mit ausdruckslosem, leicht gelangweiltem Lächeln; von Zeit zu Zeit unterbrachen sie mich mit mechanischem Händeklatschen. Doch so gewann ich an Übung und Sicherheit. Und alles in allem machte ich es gar nicht ungern. Es war besser als ein Büro, und in gewisser Weise war es auch schlimmer. Ich kam mir sehr erniedrigt vor. Und auf eine überdrehte und ungesund christliche Art gefiel mir das.

War das der Tiefpunkt? Es war noch nicht der Tiefpunkt. Eines Morgens – es muß im Frühling gewesen sein, denn obwohl es erst halb fünf war, ging gerade rot und ungeduldig die Sonne auf – klopfte mir, als ich das *Chez Janine* verließ, ein kleiner Mann mit Backenbart und einer altmodischen Schleife am Hals auf die Schulter. Ich drehte mich um und sah ihn verblüfft an; etwas in mir spannte sich, ich fühlte mich angegriffen. Ich schätze es nicht, berührt zu werden.

«Reggeweg», sagte er und verbeugte sich. Einen Moment lang wollte ich um Hilfe rufen, dann verstand ich. Er war nicht verrückt, es war sein Name. Und jetzt erinnerte ich mich auch an ihn. Er war neulich unter meinen Zuschauern gewesen und er hatte lauter geklatscht als die anderen und beinahe interessiert ausgesehen. Ich sah auf ihn herab, zog die Augenbrauen hoch und beugte mich ihm ein wenig entgegen.

Er lächelte ermutigt und wiederholte: «Reggeweg. Alvin Reggeweg. Mein Name. Habe Ihnen einen Vorschlag zu machen.» Er schwieg, hielt einen Zeigefinger vor seinen Mund und drehte den Kopf nach links, nach rechts, nach links, genau wie man es Kindern beibringt, wenn sie die Straße überqueren sollen. Endlich war er überzeugt, daß niemand lauschte, nahm den Finger von den Lippen und fragte: «Gehen wir ein Stück?»

Wir gingen. Und Reggeweg redete. Es war nicht ganz leicht, ihm zu folgen; er sprach schnell, verwickelte sich in zu lange Sätze, brach sie ab, fing von vorne an. Er versuchte mühsam, etwas zu umschreiben; ich kam allmählich darauf, daß er das, worum es eigentlich ging, um keinen Preis aussprechen wollte. Außerdem war ich abgelenkt durch seine amüsante Ähnlichkeit mit – ja mit wem eigentlich …? Ach richtig – ich mußte lachen und versteckte es schnell hinter einem laienhaften Husten dem Gartenzwerg! Dem Freund meiner Kindheit. Dem alten, verfärbten, vom Gebiß der Zeit benagten Zwerg in einem Winkel von Beerholms Garten. Die Ähnlichkeit war auffallend: Nase, Augen, Bart, sogar die kleine Schleife. War das meine Phantasie, die ihn nacherschaffen hatte, Stück für Stück, Barthaar für Barthaar …?

Was er sagte, lief auf folgendes hinaus: Ganz in der Nähe gab es ein billiges Lokal mit einem Hinterzimmer. Dort saßen einmal wöchentlich Menschen um einen Tisch und spielten Poker. Ein paar Pensionisten, ein Fliesenleger, die Witwe eines Bankfilialleiters, ein Feuerwehrmann. Was sie taten, war *de jure* verbotenes Glücksspiel, darum achteten sie darauf, daß die Tür stets gut verschlossen war. *De facto* interessierte sich niemand für sie, am wenigsten die Polizei. Und dorthin wollte er mich mitnehmen. Um zu gewinnen.

«Was machen Sie denn beruflich?» fragte ich.

«Ich verlege Rohre. Für das Wasser. Wasserrohre.»

«Und wie war noch Ihr Name?»

«Mein Name? Alvin Reggeweg.»

«So. Dann hören Sie, Alvin: Vergessen Sie es! Verschwinden Sie!»

Offenbar war das deutlich genug. Reggeweg hielt mir – «Falls Sie sich's anders überlegen!» – eine Visitenkarte hin und ging aufrecht und mit kleinen Schritten davon. Ich sah ihm nach und steckte die Karte in meine Jackentasche.

Drei Wochen später rief ich ihn an. Ich schwöre dir, ich hatte keine andere Wahl. Meine Miete war erhöht worden, meine Goldmünzen waren dahin, und ebenso die Einkünfte des letzten Monats. Jetzt brauchte ich Geld, und ich brauchte es dringend. Und Raspowitz gab mir keinen Vorschuß; meine Frage danach beantwortete er mit einem stummen, traurigen Lächeln. Also, nach einem sorgenvollen Tag und zwei sehr langen Nächten rief ich Reggeweg an.

Erspare mir die Einzelheiten! Jener Ort war ungefähr so, wie ich ihn mir vorgestellt hatte. Sie waren alle da: Witwe, Fliesenleger, Feuerwehrmann und auch die Pensionisten. Sie spielten um überraschend hohe Einsätze, und natürlich verloren sie. Ich gewann und teilte mit Reggeweg; er hatte fünfzig zu fünfzig vorgeschlagen, ich hatte auf sechzig zu vierzig bestanden und mich durchgesetzt. Einmal in der Woche trafen wir uns in unserem versperrten Hinterzimmer, und ich raubte die armen Leute aus.

Frag mich nicht wie. Das ganze alte jämmerliche Arsenal von Betrügereien. Gelegte Kartenpakete, im richtigen Moment ins Spiel geschmuggelt. Falschabzählen, Falschmischen, Falschgeben. Asse in einer Servante, nicht im Ärmel, wie alle meinen, sondern unter dem Jackettaufschlag.

Schließlich ein offener Schminkstift in der Tasche; berühre erst ihn, dann eine Karte, und sie ist markiert, aber keiner wird es bemerken. Offen gesagt, ich schämte mich für meine abgenutzten Techniken noch mehr als für das, was ich damit anstellte. Das also, dachte ich, ist meine Strafe. Wenn Er mich wenigstens zerschmettern würde oder verbrennen im Feuer Seines Zorns. Aber nein, Er hat mich für die Hinterzimmer bestimmt, für die Enge, für kleine Betrügereien, für die kümmerlichen Sünden einer geringen Existenz.

Natürlich machte ich es nicht ungeschickt. In unregelmäßigen Abständen verlor ich größere Summen, und an manchen Abenden beendete ich das Spiel ohne Gewinn oder sogar mit Verlust; dann hatte ich natürlich dafür gesorgt, daß Reggeweg gewann. Keinem fiel etwas auf. Sie alle waren gewohnt zu verlieren und bemerkten kaum, daß nun plötzlich ihr Geld nicht mehr an den einen oder anderen ging, sondern meist an denselben. Manchmal machte die Witwe, einst die reichste von allen, jetzt die ärmste, eine spitze Bemerkung über mein unverdientes Glück. Aber das war auch alles.

So also lebte ich über ein Jahr. Sechs Nächte im *Chez Janine*, die siebte beim Pokerspielen. Zwischen fünf Uhr morgens und zwölf Uhr mittags ein wenig Schlaf, unterstützt von machtvollen Chemikalien. Am Nachmittag las ich Fachbücher, trank viel Kaffee, übte neue Kunststücke ein und entwickelte manchmal eigene. Wenn ich auf der Straße einem Polizisten begegnete, sah ich krampfhaft zu Boden oder in den Himmel hinauf: War ich denn nicht ein Krimineller; wartete nicht eine feuchte und stille Gefängniszelle auf mich? Allmählich weitete sich diese Angst, dehnte sich wie ein weiches Kleidungsstück und schloß schließlich alle Uniformierten ein, den Schaffner in der Straßenbahn, den Schülerlotsen an der Kreuzung und sogar den gähnenden Briefträger. Gehörten sie denn nicht einer Ordnung an, die ich allwöchentlich verletzte? Es war doch ihre legitime Pflicht, mich aus dem Weg zu räumen. Warum taten sie es nicht ...?

Ich wurde unsicher und nervös, ich fühlte mich zunehmend am falschen Platz. Ich rauchte mehr und mehr, und ich brauchte immer neue rezeptpflichtige Tabletten, die mir nette Apotheker stets ohne Rezept überreichten. Von Rechts wegen hätte ich wohl auch zum Trinker werden müssen, aber das vermied ich. Mein Leben lang habe ich Betrunkene gehaßt; nichts kann so widerlich sein wie ein torkelnder, grunzender, stinkender Mensch mit künstlich betäubter Vernunft. Wenn ich hier heraus will, überlegte ich, – und bei allen Himmeln, das will ich! – dann gibt es nur einen Weg.

Ich mußte gut werden, wirklich gut. Wenn möglich noch besser als gut: erstklassig, besser als erstklassig; perfekt. Jawohl, ich mußte perfekt werden.

Aber wie das? Ich beherrschte das Handwerk, ich übte es täglich aus und verfeinerte meine Techniken. Ich kannte die Fachliteratur und war, so weit wie nötig, auf dem laufenden über jede neue Entwicklung. Kein Handgriff, auch nicht die Volte, das Kolorieren und das Faromischen machten mir mehr Schwierigkeiten. All das war nötig, aber noch lange nicht hinreichend.

Was dazukommen mußte, war die richtige Verfassung.

Zwischen dem Zaubertrick (verwenden wir einmal das schändliche Wort) und dem Anderen, dem Unerreichbaren, unserem verbotenen Garten, dem nie erreichbaren Gegenstand unserer Sehnsucht, liegt eine dünne und unüberschreitbare Grenze: die Manipulation. Auf sie sind wir angewiesen, und daß wir es sind, trennt uns von dem, was wir vortäuschen. Wenn ich über eine Karte streiche und sie unter meinen Fingerspitzen ihre Farbe ändern lasse, so tausche ich sie in Wirklichkeit mit Hilfe eines Palmagegriffs gegen eine andere Karte aus. Und wenn auch niemand sieht, daß ich das tue, – *ich* weiß es doch. Und daß ich das weiß, darin liegt meine heimliche Beschämung und mein Scheitern. Solange ich weiß, daß ich Tricks gebrauche, bin ich ein kleiner Gaukler und sonst nichts, und jede Bewegung, jedes Wort, jede Geste von mir wird die Peinlichkeit dieses Wissens ausdrücken. Warum sind denn die meisten Zauberer, selbst wenn sie ihre Sache ganz gut können, so elende Gestalten? Deswegen. Weil sie sich albern vorkommen. Weil etwas in ihnen nicht vergessen kann, daß sie nicht zaubern können, daß sie keine Macht über die Wirklichkeit haben, nicht einmal über das kleine Kartenspiel in ihren Händen. Sagen wir also klar und in aller möglichen Brutalität: Hinter unserer Kunst steckt eine Lüge.

Was also ist zu tun? Den Palmagegriff ausführen und dabei vergessen, daß man ihn ausführt. Zusehen, wie die Karte sich färbt, und das in ungläubigem Staunen. Nicht wissen und nicht darauf achten, was die eigene Hand tut. Die Tricktechnik, die verborgenen Griffe hinabsinken lassen ins Halbdunkel des Unbewußten. Früher maßen sich

Taschenspieler daran, wer imstande war, in einer Minute die meisten Volten zu schlagen. Aber das ist unsinnig: Nicht der ist der beste, der hundertzwanzig davon in sechzig Sekunden, sondern der, der eine einzige fertigbringt, ohne daß sie einen Abdruck in seinem Bewußtsein hinterläßt. Sie braucht dann nicht einmal sehr exakt zu sein. Glaub mir, einen Handgriff, an den du selbst nicht denkst, wird auch das aufmerksamste Publikum nicht bemerken. Keine Tarnkappe verbirgt so gut wie vollendete Beiläufigkeit. Ob das schwer zu erreichen ist? Aber sicher, teuflisch schwer. Alles Großartige ist schwer.

Also begann ich zu arbeiten. Jeden Tag zwischen meinem mittäglichen Aufwachen und meinem Aufbruch ins *Chez Janine*. Ich übte und übte. Ich ging spazieren, beobachtete die Stadt und versuchte, mir einzureden, daß ein anderer all das sah oder auch niemand, jedenfalls nicht ich. Ich fächerte Kartenspiele auf, konzentrierte mich auf sie und versuchte dabei, mir nichts vorzustellen oder mir das Nichts vorzustellen. Worin ich mich zu üben hatte, war eine Art sanfter und wohlkalkulierter Wahnsinn. Eine Karte an einen bestimmten Ort bringen und dann erstaunt sein, sie dort zu finden – man kann das auch Verrücktheit nennen. Ich mußte lernen, meine immerwache Vernunft zu überlisten. Ich mußte lernen, nicht bloß eine Horde gutgläubiger Zuseher zu täuschen, sondern vor allem mich selbst.

Ich stellte ein Kartenprogramm zusammen: Eine geniale Eröffnungswendung von Ascanio, drei Kunststücke von mir, Jan van Rodes schwebende Könige, eine Überleitung von mir, Librikovs Kartenfärbung und ein Schluß-

effekt nach einer Idee von Tamariz, die ich weiterentwik-
kelt hatte. Zuerst übte ich vor dem Spiegel, dann am
Schreibtisch, bei normaler Geschwindigkeit, bei halber,
bei doppelter, zum strengen Pulsschlag eines Metronoms.
Ich übte mit geschlossenen Augen, beim Zeitunglesen und
während ich lange Uhlandballaden rezitierte, die ich zuvor
mühsam auswendig gelernt hatte. Ich befahl meinem
Wecker, mich um zehn Uhr morgens aus dem warmen
Nebel des Tiefschlafs zu reißen, nur um aufzuschrecken,
nach den Karten zu greifen, gähnend mein Programm ablaufen zu lassen und wieder einzuschlafen. Ich bemühte
mich, mir alle Reaktionen vorzustellen, denen ich begegnen konnte, und alle nur möglichen Zwischenfälle. Was,
wenn ein Zuschauer seine Karte vergaß? Was, wenn er zu
fluchen begann, wenn er mich bedrohte? Was, wenn jemand in Ohnmacht fiel? Oder die Zähne verlor? Wenn
eine Bombe explodierte?

Und dann, nach über einem Jahr, nach dreihundert-
siebzig Tagen oder mehr, nach über dreitausend Übungs-
durchgängen, war es soweit. Alles traf zusammen: Das
Wetter war schön, die Stadt glänzte und sah beinahe sauber aus. Ich fühlte mich ausgeruht und bereit zu neuen
Unternehmungen. Wenn ich mich nicht irre, war es sogar
mein Geburtstag.

Ich setzte mich, schloß die Augen und sammelte mich.
Ich war kein Zauberer, ich hatte noch nie einen Trick ausgeführt, ich wußte von nichts. Ich war niemand, ein na-
menloser Zuschauer. Ich öffnete die Augen. Die Blumen
an der Wand glänzten matt, durch das Fenster flossen
Wellen aus gelblichem Licht. Fangen wir an.

Es war Magie. Ganz von selbst färbten sich Karten, sobald meine Finger sich ihnen näherten; ganz von selbst hoben sich die Könige, schwebten zitternd durch die Luft, senkten sich wieder, landeten auf dem Tisch. Karten wanderten durch das Spiel, von oben nach unten, von unten nach oben, von der Mitte in meine Brusttasche. Und ich tat gar nichts dazu; all diese Pappscheiben waren lebendig geworden, und sie wollten mir vorführen, was sie konnten. Sie konnten eine Menge. Bei allen Himmeln, es war Magie.

Als es zu Ende war, saß ich eine Zeitlang bewegungslos da. Draußen brummten Motoren, dunkel und gleichmäßig. Zwei Hupen jaulten im Chor; irgendwo schlug Metall auf Metall, jemand rief etwas. Ich fühlte mein Herz schlagen, durch meine Adern lief ein warmes Glücksgefühl.

Am Abend führte ich das neue Programm vor. Ich setzte mich an den ersten Tisch, legte die Karten auf das samtgrüne Tischtuch, lächelte in die Runde – ein Glatzkopf, eine Frau mit übergroßen und falschen Perlen am Hals, zwei dünne Männer mit hellen Krawatten und großen Nasen, ihre farblosen Frauen – und begann. Die Karten tanzten durch meine Hände; jede wußte, was sie zu tun hatte, jede tat ihre Pflicht. Ich sah ihnen zu, zurückgelehnt, gelassen und begeistert.

Dann war es vorbei. Und es klatschte niemand. Ich wartete, es klatschte noch immer niemand. Ich sah auf: Zwölf Augen waren auf mich gerichtet, sechs blasse Gesichter. Ich hatte einen solchen Ausdruck noch nicht gesehen. Furcht, Unverständnis, starres, entsetztes Erstaunen. Es klatschte noch immer niemand. Ich stand auf, verbeugte mich schweigend und ging zum nächsten Tisch.

Am nächsten Tag erhöhte Raspowitz mein Gehalt. In den folgenden Wochen kamen auf einmal mehr und mehr Gäste, immer öfter geschah es, daß alle Tische besetzt waren. Plötzlich riefen Leute an und bestellten Plätze, und Raspowitz mußte auf den Dachboden klettern und nach alten *Reserviert*-Schildchen suchen. Eines Nachts gab es Applaus, als ich den Raum betrat; kurz darauf erschien ein Artikel über mich, die Textzeilen an ein unscharfes Foto geschmiegt, in einer Lokalzeitung. Einmal faßte ein Gast mich am Ärmel und zog verschwörerisch daran.

«Ich bin vom Zirkel», flüsterte er.

«Was?»

«Vom Magischen Zirkel. Bei welcher Vereinigung sind Sie?»

«Bei keiner», sagte ich, wand meinen Ärmel aus seinen Fingern und ging zum nächsten Tisch.

Zum Pokern ging ich von jetzt an nicht mehr. Das war vorbei: Die Zeit der Ziellosigkeit lag hinter mir.

Am nächsten Sonntag, am Morgen nach meiner Vorstellung, besuchte ich Raspowitz in seinem schlechtgereinigten Büro (bewohnt von Fliegen und uralten Rechnungen) und teilte ihm offiziell meine Kündigung mit. Fristlos.

«Aber warum?» rief er atemlos. «Was? Warum? Ist es das Geld? Oder wie?»

«Nein», sagte ich, «das ist es nicht. Ich bin Ihnen sehr dankbar für alles, wirklich. Es sind persönliche Gründe. Rein private.»

«Erzählen Sie mir keinen Unsinn! Wer hat Sie abgeworben? Wohin gehen Sie?»

«Ich gehe zu meinem Lehrer.»

«Ihrem Lehrer?» jaulte er. «Was ist das für ein Blödsinn? Sie stürzen mich ins Unglück, und dann haben Sie nicht mal eine bessere Ausrede? Jetzt hören Sie mir doch gefälligst zu …!»

Ich ging zur Tür, lächelte zum Abschied und trat hinaus. Sein Zetern hallte durch den Gang, man hörte es noch in der Bar, wo die Stühle auf den Tischen lagen, die Beine hilflos zur Decke gestreckt. Ich sah mich noch einmal um, langsam und aufmerksam. Je genauer ich mir all das einprägte, desto größer würde das Vergnügen sein, es zu vergessen. Hinter der Theke sortierte der Barmann seine halbvollen Flaschen. Ich winkte ihm zu, er winkte zurück. Dann ging ich. Über den Himmel zogen helle Streifen, auf den Dächern spielte das erste Licht. Es war kühl, und es roch nach frühem Morgen.

Jetzt war ich frei. Einen flehentlichen Brief Reggewegs und drei von Raspowitz ignorierte ich, ebenso eine Einladung zum monatlichen Treffen des Magischen Zirkels auf zylinderhutgeschmücktem Briefpapier. Ich mietete einen alten Volkswagen und machte mich auf den Weg.

Wie so manches Unwichtige habe ich es nicht erwähnt: Ich hatte einen Führerschein. Vor drei Jahren hatte ich einige Fahrstunden neben einem alten Säufer durchlebt. Ich hatte zugleich schwitzend und mit vor Kälte klappernden Zähnen das Lenkrad festgehalten und das schlingernde Fahrzeug die schwankende Straße entlangbugsiert. Mein einziger Trost war, daß, wenn ich einen Fußgänger tötete, der Säufer neben mir ins Gefängnis wandern würde und nicht ich. Doch die Fußgänger wichen aus. Beim praktischen Teil der Prüfung fiel ich durch, beim zweiten Versuch schaffte ich es irgendwie. Seither hatte ich kein Auto mehr gesteuert.

Doch jetzt mußte es sein. Vor mir streckte sich die Autobahn; kurze weiße Linien, eine nach der anderen, glitten auf mich zu, dehnten sich, rasten vorbei. Rechts und links erhoben sich weiße Lärmschutzwände, schalldicht und glatt; einmal schnellte ein Plakat vorbei: *Trink doch Bier!* Langsam nahm meine Angst ab; ich hielt das Lenkrad lockerer, schaltete das Radio ein und pfiff sogar eine Melodie von Rossini mit. Ein Wahnsinniger überholte mich, schnitt mir den Weg ab, zwang mich, auf die Bremse zu treten. Mein Herz begann, unsinnig schnell und laut zu klopfen; die Scheiben um mich überzogen sich mit Nebel. «Nimm dich zusammen!» befahl ich mir laut. Das half sogar. Nach kurzer Zeit war ich wieder gelassen, beinahe schläfrig.

Ich hatte mir die Strecke auf der Karte angesehen und eingeprägt, und so verirrte ich mich auch nicht. Ist es nicht immer beruhigend, wenn sich die Wirklichkeit nach ihrem Abbild auf dem Papier richtet? Wenn eine große Straße Kurve für Kurve den Lauf nimmt, den die graue Linie des Plans ihr vorschreibt? Ich war sogar früher als erwartet am Ziel. Ich war durch Sonnenschein, durch etwas Regen und durch braune Staubwolken gekommen. Und jetzt war ich da.

Ich nahm ein Zimmer in einem kleinen, verschlissenen Hotel am Stadtrand, nicht weit von van Rodes Haus. Ich stellte ihn bloß ab, gab dem alten Mann an der Rezeption Bescheid, setzte mich wieder ins Auto und fuhr zu van Rode. Und wartete drei Tage und zwei Nächte.

Und ein paar Stunden. Es war fast Mittag. Die Männer waren längst gegangen, die meisten Hunde ausgeführt worden, die ersten Kinder kamen zurück. Meine Beine waren völlig gefühllos, mein Rücken tat weh. Auf meinem Kopf lag ein betäubend schweres Gewicht. Ich gähnte, biß in ein ledriges Schinkenbrot und sog an einer lauwarmen Limonadendose. Dann gähnte ich noch einmal und schloß die Augen. Nur für einen Moment. Aber als ich sie wieder öffnete, sah ich ihn.

Ihn selbst. Zwar ohne Brille und auch ohne Bart und dazu noch gekleidet in einen schlabbrigen und graugefleckten Jogginganzug, doch ich erkannte ihn sofort. Er trat auf den Gehsteig, blinzelte in die Sonne, gähnte (ja, auch er) und sah ein wenig unschlüssig um sich. Jetzt! Das war der Moment, ein besserer würde nicht kommen. Es war soweit: Alles entschied sich jetzt. Ich versuchte, ein Stoßgebet zu formulieren, ein paar Worte, die von der Gnade und meiner Seele und der Hoffnung und dem Vertrauen handelten, aber ich brachte es nicht zu Ende. Los! Ich öffnete die Autotür und stieg aus.

VII

Meine Beine knickten ein; hätte ich mich nicht auf das Autodach gestützt, wäre ich in die Knie gesunken. Ich hatte zu lange gesessen; jetzt spürte ich meine Füße nicht mehr, und kleine elektrische Schauer tanzten an meinen Beinen hinauf. Ich machte einen Schritt auf van Rode zu, dann, vorsichtig, noch einen. Außerdem hatte ich mich seit drei Tagen nicht rasiert und sah wohl ziemlich seltsam aus. Jan van Rode, der größte Magier seiner und meiner Zeit, sah mich beunruhigt an. Und als er merkte, daß ich wirklich auf ihn zukam, wich er langsam zurück.

«Entschuldigen Sie!» rief ich. «Ich möchte zu … Ich muß zu Ihnen. Ich muß mit Ihnen sprechen.»

Er runzelte die Stirn und sah sich nach seiner Haustür um, aber sie war geschlossen. «Ich glaube», sagte er und griff in seine Hosentasche, «Sie verwechseln mich …»

«Bestimmt nicht!» sagte ich, und jetzt, auf erstarkenden Beinen, hatte ich ihn erreicht. Er sah auf meine linke Hand hinunter, ich folgte seinem Blick und bemerkte, daß ich noch immer das Schinkenbrot festhielt. Ich ließ es fallen, es plumpste auf den sauberen Asphalt und blieb dort liegen und lag da und wollte nicht verschwinden. Bei Gott, ich haßte dieses Schinkenbrot wie meinen schlimmsten Feind.

«Sicher nicht!» wiederholte ich. «Mein Name ist Arthur Beerholm. Ich komme, um von Ihnen unterrichtet zu werden.»

«Unterrichtet?» fragte er und zog mit einer beiläufigen Bewegung einen Schlüsselbund aus der Tasche. «Das ist», er ging einen Schritt rückwärts, «ganz bestimmt», noch einen, «ein Irrtum.» Und hatte die Haustür erreicht.

Ich fühlte, wie eine kalte Welle aus Panik auf mich zurollte. Ich schloß die Augen und atmete tief ein. Ich schlug die Augen wieder auf, van Rode stand in der offenen Tür.

«Hören Sie mir zu!» sagte ich. «Ich komme, damit Sie mich unterrichten. Ich weiß, Sie geben keinen Unterricht. Bei mir werden Sie eine Ausnahme machen. Geben Sie mir fünf Minuten!»

Er stand da, die Klinke in der Hand, bereit, die Tür vor mir zuzuschlagen, und sah mich an. Ich hielt seinem Blick stand, obwohl der Himmel sich plötzlich zu drehen begann und der Boden unter mir zitterte.

Schließlich nickte er. «Drei.»

«Das reicht», sagte ich, drehte mich um und lief zu meinem Auto. An der Stelle meiner Füße waren zwei taube Holzblöcke, aber ich kam doch wieder ganz gut vorwärts. Ich öffnete den Kofferraum, zerrte einen zusammengeklappten Picknicktisch heraus und trug ihn über die Straße. Ob ich vorbereitet war? Und ob ich vorbereitet war! Ich klappte ein etwas verwirrendes Gestell aus, und der Tisch hielt. Zwei Frauen rollten zwei Kinderwagen vorbei, blieben stehen und sahen mir neugierig zu; ich beachtete sie nicht. Der Tisch stand wacklig, doch er stand. Ich schnippte mit den Fingern, ein Kartenspiel fiel auf die Tischplatte. Ich streckte die Hand aus, die Karten sprangen hinein und öffneten sich zum Fächer. Es begann.

Erst als es vorbei war, sah ich auf. Van Rode stand noch immer in der Tür, und er blickte mich aus zusammengekniffenen Augen an, fast so, als ob ihn etwas blendete oder als ob er Kopfschmerzen hatte. Neben mir klatschte jemand, es waren die beiden Frauen. «Ganz wunderbar!» rief die eine.

«Also gut», sagte van Rode. «Also gut, kommen Sie herein.»

Er führte mich durch einen schmalen Flur mit verlassenen Regenmänteln an einem Kleiderständer in sein Wohnzimmer. Grüner Spannteppich, eine klassische braune Sitzgarnitur aus dem Möbelprospekt, im Halbkreis um einen Fernseher gruppiert. An der Wand eine Reproduktion von Turners *Regulus*, gegenüber ein Familienfoto mit einer unübersichtlichen Anhäufung von Männern und Frauen, Großvätern, Kindern, Kleinkindern und zwei Hunden. Auf einem Holztisch lagen eine Brille und eine Tageszeitung, aufgeschlagen beim Fernsehprogramm. Über dem Sofa war ein Bücherbord: *Buddenbrooks, Krieg und Frieden*, Shakespeare in zwei, ein Konversationslexikon in zehn Bänden. Auf dem Fensterbrett stand ein Topf mit einem leicht angewelkten Veilchen, dahinter zeichneten sich die grünen Umrisse eines Gartens ab, umgrenzt von Hecken.

«Nehmen Sie Platz», sagte van Rode, «möchten Sie Tee, Kaffee …?»

«Kaffee bitte», antwortete ich unsicher. Hier also sollte Jan van Rode wohnen? Und wenn es doch eine Verwechslung war? «Aber ich möchte keine Umstände ...»

«Sie *machen* Umstände. Aber in gewisser Weise haben Sie das Recht dazu. Was Sie eben gezeigt haben war ... – nun, eher ungewöhnlich. Sagen Sie, haben Sie wirklich da draußen auf mich gewartet? Wie lange denn? Warum haben Sie nicht geläutet?»

«Hätten Sie mich hereingelassen?»

«Nein.» Er drehte sich um und rief: «Gerda! Wir haben Besuch!»

Die Tür ging auf, und eine Frau kam herein. Es war die, die ich schon auf der Straße gesehen hatte. Sie sah mit zwei runden, blaugesprenkelten Kinderaugen zu mir auf, lächelte und gab mir die Hand. «Wenn er Sie hereingelassen hat», sagte sie, «müssen Sie wohl etwas Besonderes sein.»

«Wenn Gerda nicht wäre, würde ich längst nicht mehr arbeiten. Aber sie meint, daß man zum Leben Geld braucht. Wollen Sie sich nicht endlich setzen?»

Ich ließ mich vorsichtig in das Sofa sinken; es war unglaublich weich, und irgendwo unter mir krachte bedrohlich eine Sprungfeder. Van Rode setzte sich mir gegenüber.

«Wenn es nach mir ginge, würde ich bloß daheim sitzen und fernsehen. Fußball und Schirennen, was braucht man mehr! Um Gottes willen, entschuldigen Sie sich nicht schon wieder! Wir wissen doch beide, daß es Ihnen nicht leid tut. Es ist eine Leistung, bis in diesen Raum vorzudringen, glauben Sie mir.»

Frau van Rode ging hinaus, kam mit einem Tablett zurück, balancierte es zum Tisch und stellte zwei Tassen, zwei Untertassen, Löffel, ein Milchkännchen und eine Zuckerdose zwischen uns.

«Ist das ein geschäftliches Gespräch?» fragte sie.

«Nein», sagte van Rode, «nicht direkt geschäftlich. Nein, eigentlich nicht.»

«Gut. Dann ist es ja nicht nötig, daß ich dabei bin.» Sie klemmte sich das leere Tablett unter den Arm und ging hinaus.

Van Rode lehnte sich zurück, nahm seine Pfeife aus dem Mund und blies ein dickes, rundes Rauchwölkchen zur Decke. Dann zeigte er auf meine Tasse: «Trinken Sie! Er ist lauwarm, nicht zu heiß, genau richtig.»

Ich nahm die Tasse, und erst als ich sie in der Hand hielt, bemerkte ich, daß sie leer war. Ein seltsamer Scherz! Van Rodes Tabak roch scharf und unangenehm – plötzlich sah ich verblüfft auf: Wie war denn auf einmal die Pfeife in seinen Mund gekommen, mir war gar nicht aufgefallen, daß er ... – Und in diesem Moment nahm ich aus dem Augenwinkel etwas Schwarzes, Schimmerndes in meiner Tasse wahr: – Kaffee! Sie war bis zum Rand gefüllt mit Kaffee ...! Ich stellte sie schnell ab, wie etwas, das man besser nicht anfaßt.

«Wenn Sie Milch oder Zucker wollen, bedienen Sie sich! Also, Herr Beerholm: Was soll ich eigentlich für Sie tun?»

Es dauerte ein wenig, bis mir klar wurde, daß er mich etwas gefragt hatte. «Sie sollen», sagte ich, ohne die Tasse aus den Augen zu lassen, «mir etwas beibringen. Ich glaube, Sie sind der einzige, der das kann.»

«Möglich, daß Sie recht haben. Im Prinzip. Aber was bringt Sie zu der Ansicht, daß ich Unterricht gebe? Bezahlen Sie gut?»

«Ich bezahle überhaupt nicht. Früher hätte ich es mir leisten können, aber das ist vorbei.»

Er musterte mich durch zwei Rauchwolken, die aus seinem Mund stiegen und sich über seinem Kopf auflösten. «Na also. Warum soll ich's dann tun?»

Ich sah ihn an. «Nicht für mich. Für die Magie. Und weil Sie wissen, daß ich auf Sie angewiesen bin. Was ist die Zauberei? Eine Abendunterhaltung von zweitklassigen Leuten im Glitzerfrack, eine Einlage für Kindergeburtstage und Fernsehshows, ein Hobby für Dilettanten, ein Beruf für unbegabte Schauspieler, eine lächerliche Sache. Aber sie kann mehr sein.»

Das letzte Wölkchen stieg auf und verblaßte, van Rode nahm seine Pfeife aus dem Mund und sah in den Pfeifenkopf. Sie war ausgegangen. «Haben Sie denn meine Bücher gelesen?»

«Sicher. Aber dort steht nur das Nebensächliche. Das genügt nicht.»

«Das Nebensächliche?» fragte er überrascht, sah mich kurz an und blickte wieder in die Pfeife. Ein kleiner Lichtpunkt erschien in der Asche, dann stieg wieder Rauch auf. Van Rode schob den Pfeifenstiel zwischen seine Zähne. «Wieso ausgerechnet ich? Waren Sie bei einem Auftritt von mir?»

«Einmal nur. Vor etwa drei Jahren.»

«Wo?»

Ich sagte es ihm.

«Um Gottes willen», lachte er, «wie kamen Sie denn dorthin?»

«Ich habe da studiert.» Ich sah ihm an, was er fragen wollte, und kam ihm zuvor. «Theologie.»

«Theo ... – Wirklich? Das erklärt einiges. Sie sind doch wohl nicht ...?»

«Nur die niederen Weihen.»

«Also haben Sie's nicht zu Ende gebracht. Da hat Ihre Firma einiges verloren.» Er lachte, aber plötzlich wurde er ernst. «Bitte, das sollte kein Scherz sein! Glauben Sie nicht, daß ich mich darüber lustig mache, das würde ich nie tun. Nie.» Ich hatte das unangenehme Gefühl, daß er mich verspottete.

«Wissen Sie was?» sagte er. «Ich werde es machen. Nicht, weil Sie mich überzeugt haben, sondern weil ich neugierig bin. Und als Investition. Wenn Sie je, und wie auch immer, zu Geld kommen, schicke ich Ihnen die Rechnung. Einverstanden?»

«Einverstanden», sagte ich und hielt schnell den Atem an, um mir meine Erleichterung nicht anmerken zu lassen. Während der letzten Wochen hatte sich etwas Hartes und Schweres an mir festgeklammert, und jetzt, auf einmal, ließ es los. Die Welt fühlte sich leicht an.

«Gut, Sie könnten ... Warten Sie ...! Gerda!»

Einige Zeit verging, dann bewegte sich etwas im Nebenzimmer, Schritte näherten sich, die Tür ging auf, und Frau van Rode erschien.

«Ja?»

«Sag mir: Habe ich Dienstag und Mittwoch nachmittag Zeit? Von eins bis drei?»

«Dienstag und Donnerstag. Und zwei bis vier wäre besser.»

«Schön. Also wie wäre das? Dienstag und Donnerstag von zwei bis vier. In Ordnung?»

«Ja, natürlich!» sagte ich. «Vielen Dank, das ist sehr ...»

«Schon gut. Und jetzt, Herr Beerholm, ruhen Sie sich am besten ein wenig aus und – nicht, daß es mich was angeht – rasieren sich und nehmen eine Dusche. Sie sehen erschöpft aus. Wie lange haben Sie eigentlich da draußen gewartet?»

Ich stand auf. «Fragen Sie mich lieber nicht!»

«Wie Sie meinen. Ist es schlimm, wenn ich Sie nicht zur Tür bringe?»

«Nein», sagte ich, «nein, wirklich nicht.» Ich gab ihm die Hand, verabschiedete mich mit einer Verbeugung (die nie erlöschende Grazie des Les-Vescaux-Schülers!) von seiner Frau und machte mich auf den Weg. Die Mäntel im Eingangsraum sahen noch genauso aus wie zuvor. Auf der Straße gingen zwei müde Dreißigjährige vorbei; ihre Krawatten glichen farbigen Galgenschlingen. Ich kannte nun schon ihre Gesichter, beinahe hätte ich ihnen zugewinkt. Das Auto erwartete mich. Sollte ich es nicht vorher zurückbringen und dann erst ins Hotel ...? Ach zum Teufel damit, ich wollte nur noch ein heißes Bad. Alles andere war weit weg und unwichtig.

Eine halbe Stunde später saß ich in einer Wanne mit schaumduftendem Wasser, spürte, wie die Hitze durch meinen Körper kroch und die feuchten, nebligen Dämpfe in mein Gehirn. Ich wußte nicht mehr sehr genau, wo ich gerade gewesen war und warum, aber ich wußte, daß et-

was sich glücklich gefügt hatte, daß eines zum anderen gekommen, daß etwas gelungen war. Und das genügte. Und
dann schlief ich ein.

Am nächsten Tag fuhr ich zurück, um meine Übersie-
delung zu organisieren. Wieder die endlose Autobahn,
wieder die leeren Stunden, angefüllt mit nichts als Geschwindigkeit. Ich packte alles ein, was ich hatte. Drei
Koffer voll Kleidung, ein Radioapparat, eine Reisetasche
mit Büchern und anderen überflüssigen Dingen. Meine
Golfschläger und ein Paar Schi standen noch beim Pfandleiher; sie mochten dort bleiben, ich brauchte sie nicht.
Ich schrieb einen Brief an meinen Vermieter, in dem ich
ihn informierte, daß ich wegging, nicht mehr zurückkam
und er sein Loch einem anderen geben konnte. Dann
preßte ich mein Gepäck ins Auto und verließ die Stadt für
immer. Solange die Flüsse dem Meer zustrebten, solange
die Wolken ihre Schatten über die gekrümmte Erde zogen, solange die Sonne noch Licht hatte, würde ich sie
nicht wiedersehen. Mit einer großen Geste warf ich einen
Zigarettenstummel aus dem Fenster und fuhr ab.

Ich fand ein Zimmer in schicklicher Nähe von Jan van
Rodes Haus. Nah genug, um schnell dort sein zu können,
und doch nicht so nah, daß es aufdringlich wirkte. Es lag
im vierten Stock einer massigen Wohnhausanlage mit
schmalen Balkonen und einem Hof mit einem Sandkasten
und einer Kinderschaukel. Das Zimmer sah nicht viel anders aus als mein letztes; der wichtigste Unterschied war,
daß die Tapeten nicht mit Blumen gesprenkelt waren,
sondern mit bräunlichen Quadraten, blau umrahmt und
von bedrückend kitschiger Abstraktheit. Das Badezimmer

und die Toilette mußte ich mit der Familie des Vermieters teilen, zwei Eheleuten, die nie miteinander sprachen, und ihren zwei häßlichen kleinen Jungen. Ich war der einzige, der das Zimmer wollte, und deswegen bekam ich es, obwohl ich nichts hatte, was einem Beruf oder Einkommen auch nur entfernt ähnlich sah.

Dann tat ich das, was mir am schwersten fiel. Ich suchte und fand ein luftloses Antiquariat, niedrig, dunkel und verstaubt und voll alter, langweiliger und teurer Bücher. Und dort verkaufte ich meine *Enzyklopädie der täuschenden Künste*. Es war schrecklich. Der Besitzer des Geschäftes verschluckte sich vor Überraschung und bekam einen Hustenanfall; ich bin sicher, er hat mir trotzdem zu wenig dafür gegeben. Aber jetzt konnte ich meine Schulden bezahlen und auch die Miete für die nächsten Monate und meinen Lebensunterhalt.

Zweimal in der Woche war ich bei van Rode. Immer wenn ich vor seiner Tür stand – pünktlich natürlich, auf die Minute – und auf den Klingelknopf drückte, konnte ich es nicht recht glauben, daß er wirklich hier wohnte und daß er mich erwartete. Aber er tat es. Und jedesmal öffnete sich nach langen dreißig Sekunden die Tür, und Gerda van Rode ließ mich herein.

Heute, da er tot ist, so tot wie seine arme Frau, bin ich wohl einer der wenigen, die es wagen könnten, ihn zu beschreiben. Nachdem *The Conjurer*, das Branchenblatt, mich auf seinem nach Chemie riechenden Hochglanzpapier als «Rode's most important pupil» bezeichnet hat (natürlich war ich sein wichtigster Schüler; ich war der einzige), erwartet die interessierte Öffentlichkeit von mir einige Erinnerungen. Sein Sohn lebt in Island, ist Elektroingenieur und wird wohl nichts sagen. Einen Agenten hatte er nicht, sein Anwalt ist schweigsam, und sein bester Freund, ein Dachdecker, mit dem er jeden Samstag Schach spielte, ist des Schreibens kaum mächtig. Bleibe nur ich. Zwar wird die Öffentlichkeit, ob interessiert oder nicht, diese Seiten nicht zu Gesicht bekommen, bloß du, – aber auch du nicht, denn womöglich existierst du nicht mehr. Doch ich will mich meiner Pflicht nicht entziehen. Irgendein unterbezahlter Engel wird auch das hier überfliegen, und so wird es aufbewahrt sein, weil ja kein Satz, kein Gedanke und kein Wort jemals verloren ist. –

Wenn ich die wenigen Fotos, die ich von ihm kenne, aus dem Lexikon, aus der Zeitung, aus einer Sonderausgabe des *Conjurer*, nebeneinanderlege, dann scheint es mir fast zweifelhaft, ob sie denselben Menschen zeigen. Es könnten ebensogut verschiedene Leute sein, irgendwo aufgenommen und irgendwann. – Doch: Wenn man genau hinsieht, erkennt man, daß es das gleiche Gesicht ist, die gleiche Nase, die gleiche Stirn, das gleiche Kinn, ob mit oder ohne Bart. Aber etwas fehlt, alle Ähnlichkeiten scheinen bloß zufällig. Mehr noch, als es bei Fotos üblich ist, halten diese Bilder bloß etwas Äußerliches fest, nichts Charakteristisches, kein Selbst, keine Person.

Dieser Eindruck ist wohl richtig. Ich habe ihm oft und stundenlang gegenübergesessen, und trotzdem habe ich heute Schwierigkeiten, wenn ich mir vorstellen will, wie er aussah. Seine Seele schien mit zuviel Stoff umkleidet, die Materie schmiegte sich ihr nicht an, sie umschlotterte sie wie ein schlechtgeschnittener Anzug. Das änderte sich nie, auch dann nicht, wenn er nachdachte, wenn er lachte, wenn er auf der Bühne stand. Man hatte niemals das Gefühl, ihn zu kennen, aber er erschien nicht rätselhaft, sondern eher eigenartig geheimnislos. Er lebte in einem Durchschnittshaus, kleidete sich nachlässig, mochte Schirennen und Kreuzworträtsel, arbeitete nur, wenn es unbedingt sein mußte, und war immer höflich, wenn auch auf eine unangenehm ironische Art. Er ging so gut wie nie in Gesellschaft, und zwar schlicht aus Desinteresse. Ja, er interessierte sich nur für sehr wenige Dinge. Ich habe nie etwas über seine politischen, philosophischen, religiösen, gesellschaftlichen Ansichten erfahren; ich vermute, er hatte keine. Als ich einmal Augustinus erwähnte, hatte er, falls er sich nicht verstellte, diesen Namen noch nie gehört. Im Grunde war ihm wohl nicht einmal die Zauberei besonders wichtig. Manchmal hatte ich den Verdacht, daß seine Freundlichkeit und auch seine Ironie eine unheilvolle Schwäche verbargen.

Und er war ein Genie. Mit Entsetzen sehe ich, daß in der letzten Zeit mein Ruhm zunehmend einen Schatten über den seinen gelegt hat – und das ist ungerecht, widersinnig und gräßlich. Er war besser als ich, meistens jedenfalls und in fast allem.

Wie begabt er war! Wieviel er verstand! Wie die Dinge ihm gehorchten! Es gibt Leute, auf deren Befehl sich fremde Schäferhunde sofort und ohne zu wissen, wie ihnen geschieht, fromm hinlegen oder Männchen machen. So ging es ihm mit Gegenständen. Er brauchte kaum etwas dafür zu tun: Wenn er sich einem Tisch, einer Stehlampe, einem Regal näherte, schien eine Veränderung damit vorzugehen. Kann eine Küchenablage aufhorchen, wie in gespannter, mühsam versteckter Erregung? Sie kann, ich habe es gesehen. Konnten eine Tabakspfeife, ein Kugelschreiber, ein Kaufhausaschenbecher aus Plastik plötzlich leuchten, vor Stolz, weil sein Blick sie traf? O ja, das kam vor. Die Welt um ihn war immer belebt, erwartungsvoll und erfüllt von elektrischem Flüstern.

Einmal durfte ich ihn zu einer Vorstellung begleiten. Es war in einer benachbarten Kleinstadt, eine Autobahnstunde entfernt, und zwar in einer Halle mit hohen Fenstern, grünem Kunststoffboden mit roten Markierungen und Leitern an den Wänden, in der sonst Volleyballmannschaften trainierten und Schulkinder auf Fußbälle einprügelten. Auf einer Seite war ein kleines, etwas schiefes Podium aufgestellt worden, davor einige Stühle, und an die Decke hatte man zwei schwache, summende Scheinwerfer gehängt.

«Ich trete nur auf», sagte van Rode ungerührt, «wenn es wieder einmal so weit ist, daß die ersten Mahnungen kommen und die ersten besorgten Briefe der Bank. Dann erst nehme ich ein Angebot an. Und jedesmal stelle ich fest, daß ich in der Zwischenzeit wieder ein bißchen unbekannter geworden bin und die Räume, die man mir gibt, ein bißchen schlechter. So ist es eben. Der Preis der Faulheit.»

Während der Vorführung saß ich neben Gerda van Rode in der zweiten Reihe, sah atemlos zu und wartete auf den Moment, in dem ich an einer dünnen Schnur zu ziehen hatte, um einen Mechanismus auszulösen, der dafür sorgte, daß ein großer Kristallspiegel auf eine lässige

Handbewegung van Rodes hin in tausend winzige, strahlende Stücke zerbrach. Es gelang, und eine alte Dame hinter mir schrie auf. Es waren nicht viele Leute gekommen, die Turnhalle war gerade zu zwei Dritteln voll. Was van Rode bot, war großartig, doch es kam nicht ganz an das heran, was ich damals gesehen hatte.

Auf der Rückfahrt entschloß ich mich, zu fragen. Es war dunkel und wolkig, man sah keine Sterne, nur ein einzelner blasser und unschön gezackter Halbmond zog neben uns her. Dann begann es zu regnen: Das Wasser malte feuchte Schlieren auf die Scheibe; die Scheinwerfer der anderen Autos wurden zu verschwimmenden Lichtflecken. Frau van Rode schaltete wortlos die Scheibenwischer ein. Sie saß, wie immer, am Steuer; ihr Mann hatte keinen Führerschein. Ich saß neben ihr, weil van Rode die Rücksitze gerne für sich allein hatte. Er lehnte dort, etwas schief, hatte den Kopf in den Nacken gelegt und pfiff Bruchstücke einer Melodie, die mir bekannt vorkam. Er wirkte sehr gelöst, beinahe ein wenig betrunken.

«Ich hätte eine Frage», begann ich.

Er hörte auf zu pfeifen und setzte sich gerade hin. «Was denn? Sie haben das gut gemacht mit der Schnur, genau der richtige Moment. War es das?»

«Nein», sagte ich, «etwas anderes. Sie haben einmal etwas gezeigt, was ich nie vergessen kann, etwas ... sehr, sehr Seltsames. Etwas mit einem Tisch und einem Papiertuch.»

«Habe ich? Interessant. Erzählen Sie.»

Ich versuchte ihm zu beschreiben, was ich gesehen hatte. «Ach das meinen Sie», rief er, «ich erinnere mich. Ein grauenvoller Abend.»

«Aber wie ... haben Sie das ... gemacht?»

Er lachte. «Ihnen ging es damals nicht sehr gut, nicht wahr?»

«Woher wissen Sie das?»

Er beugte sich vor, hielt sich an meiner Rückenlehne fest und sagte leise: «Arthur, Sie ziehen die Grenzen zu eng. Ich verrate Ihnen ein Geheimnis, ein sehr großes und streng gehütetes Geheimnis, von dem alle wissen, außer Ihnen. Das hier ist ein Traum. Ich meine das nicht philosophisch, Gott bewahre! Es ist wirklich einer. Und zwar Ihrer. Wir alle gehören dazu, jeder von uns ist Ihre Erfindung. Wenn Sie aufwachen, sind wir weg, nichts mehr, gelöscht, es hat uns nie gegeben.»

Er lachte glucksend, dann begann er wieder zu pfeifen. Mir war kalt geworden. Der Autositz war sehr weich, die Geräusche um mich – das Motorenbrummen, van Rodes Pfeifen, der Regen – wichen zurück, und plötzlich fühlte alles sich seltsam unwirklich an. Ich blinzelte und wollte mir die Augen reiben, aber für einen eigenartigen Moment gelang es mir nicht, mit den Händen meine Augen zu finden. Ich tastete nach meinem Gesicht – wo war mein Gesicht ...? Irgendwo, weit weg, hörte ich van Rodes Stimme.

«Ist Ihnen nicht gut? Nicht aufwachen, bitte nicht! Mir zuliebe. Ich möchte noch bleiben!»

Was für ein Unsinn! Ich schüttelte ärgerlich den Kopf, und die Dinge nahmen wieder an Schärfe zu. Da waren sie wieder: die Scheibe, die Tropfen, die Straße, die Scheinwerfer. Ich drehte mich um, und da war auch van Rode, schemenhaft, schief sitzend, die Arme hinter dem Kopf verschränkt. Und neben mir Gerda van Rode. Sie sah ruhig und mit festgefrorener Miene auf die Straße und hielt das Lenkrad fest. Es war nicht zu erkennen, ob sie uns zugehört hatte. Ich fröstelte. –

Ich lese die letzten Absätze noch einmal (ich mache das oft, aus stilistischen Gründen, obwohl mein Stil mir jetzt gleichgültig sein sollte) und frage mich, wozu ich sie geschrieben habe. Vielleicht, weil ich nichts Besseres über ihn zu sagen habe. Auf das, was er mir beibrachte, kann ich nicht eingehen. Das Gebot der Schweigsamkeit bindet mich; wenn alle Rücksichten fallen, diese bleibt. Nur soviel: Ich lernte von ihm Dinge, von denen ich nicht einmal geahnt hatte, daß sie möglich waren. Ich lernte, ein Kunststück zu konzipieren, seine Wirkung zu berechnen, seine Schwachstellen zu erkennen. Ich lernte die innere Haltung, mit der man Zuschauern gegenübertreten muß, um aus einer Ansammlung gähnender, flüsternder, kauender Leute ein Publikum zu machen, zusammengehalten von einer elektrischen Spannung und konzentriert auf nichts anderes als mich. Früher war ich ein begabter – ich weiß, man muß bescheiden sein; aber auch ehrlich, nicht? –, ein ziemlich begabter Laie gewesen. Jetzt, allmählich, verstand ich das Geschäft.

Es war eine gute Zeit, vielleicht die beste meines Lebens. Oft saß ich in meinem Zimmer, umschlossen von den Geometrietapeten, und übte oder sah meine alten Kunststückentwürfe durch, verbesserte sie und formte sie zu einer Sammlung – jene, die bald unter dem Titel *49 Escamotagen* erscheinen sollte –, während ich im Nebenzimmer meine Vermieter grimmig schweigen hörte und ihre

Kinder sich im Hof stumm um den Platz auf der Schaukel prügelten.

Sonntags ging ich manchmal in die Kirche. Es war eine kleine Barockkapelle, einsam zwischen zwei Wohnblökken, übriggeblieben von einer farbigeren Zeit. Ich stand ganz hinten, sah über die Köpfe und Kopftücher auf einen Priester, der unwillig an den Worten seiner Predigt kaute, und fragte mich, ob ich noch das Recht hatte, hier zu sein. An der Decke hingen fettleibige Engelchen, lächelnd betrachtet von einer blauumwickelten Madonna. Meine Weihe fiel mir ein und wie der Ring des Bischofs über mir geglitzert hatte. – Und was war ich jetzt? Vielleicht hatte ich das Falsche getan. Ich stellte mich an den Beichtstuhl und wartete. Als ich endlich an der Reihe war, entschied ich mich anders und ging weg. Trotzdem, vielleicht war es gut so. Möglicherweise war es die falsche Richtung, aber eine Richtung war es doch. Die alte Kirchentür knarrte mißlaunig, als ich sie öffnete; dann fiel sie aufatmend hinter mir ins Schloß.

«Beerholm, ich habe was für Sie», sagte van Rode. «Einen Auftritt. Übermorgen, eine Benefizgala für die Taubstummen. Jemand hat abgesagt, der Veranstalter wollte, daß ich einspringe. Ich springe aber nie ein. Also habe ich Sie vorgeschlagen.»

«Mich?» Mein Herzschlag fiel in einen *alla marcia*-Takt, und ich starrte ihn mißtrauisch an. Er zuckte die Schultern und schüttelte den Kopf.

«Kein Scherz, nein. Was haben Sie denn? Lampenfieber? Ich bitte Sie!»

«Haben Sie ... wirklich gesagt ... übermorgen?»

«Na Ihretwegen wird es wohl nicht verschoben werden. Gehen Sie hin, ich verspreche Ihnen, Sie schaffen das. Machen Sie sich keine Sorgen! Denken Sie daran: Sie sind ein Magier. Die Gegenstände hören auf Sie.»

«Ich weiß gar nicht ob ... ob ich überhaupt jemals auftreten wollte. Mein Interesse an der Kunst ist ... ein theoretisches ... ein mathe ... matisches sozusagen ... Ich bin auch gar nicht vorbereitet.»

«Kennen Sie den? Ein Mann läuft um eine Plakatsäule und schreit: Hilfe, ich bin eingemauert!» Er lachte, ich lachte nicht. «Außerdem, Arthur: Sie müssen Karriere machen. Wovon wollen Sie denn leben? Und vor allem: Wer bezahlt mich für meinen Unterricht? Ich bin nicht geldgierig, aber ich bin unglaublich gierig nach Nichtstun. Sie sind meine Altersversorgung. Also stellen Sie sich nicht dumm an! Sie treten auf, keine Diskussion mehr!»

Ich griff nach meiner Kaffeetasse, vielleicht, um mich daran festzuhalten. Die schwarze Oberfläche der Flüssigkeit kräuselte sich und zitterte.

«Na gut», sagte ich leise, «ich werde hingehen.»

«Na sehen Sie. Übrigens, damit kein Mißverständnis aufkommt: Das Publikum wird nicht taubstumm sein. Also strengen Sie sich an! Ich sage das nicht, um Sie nervös zu machen.»

«Natürlich nicht.» Ich führte die Tasse an meine Lippen, nahm einen Schluck, noch einen – nichts. Sie war leer. Ich stellte sie langsam wieder auf den Tisch; van Rode grinste vergnügt.

«Ich werde auch da sein und Sie mir ansehen; das kann

ich mir doch nicht entgehen lassen! Ich bin ziemlich neugierig!»

«Danke», sagte ich zerstreut. «Ich sollte jetzt wohl besser gehen und mich vorbereiten ...»

«Tun Sie das. Und machen Sie sich keine Sorgen. Die Götter werden mit Ihnen sein und dazu alle Hasen, Tauben und zerschnittenen Jungfrauen unserer seltsamen Zunft. Und schlimmstenfalls? Wenn alles schiefgeht, können Sie immer noch an einer Volkshochschule Religion unterrichten. Auch nicht zu verachten!»

«Nein», sagte ich, «nein, vielleicht nicht.» Der grüne Teppich schien sich unter meinem Blick zu wölben und seltsame Falten zu werfen. Ich vermied es, van Rode anzusehen. Ich wollte um keinen Preis seinem Lächeln begegnen.

VIII

Und du? Warum sage ich nichts von dir? Aber das tue ich doch. Ich umschließe dich mit jedem Satz, jedem Wort, jedem schiefen Buchstaben. In die vielen nutzlosen Seiten, die ich hier vollgeschrieben habe, ist mit Geheimtinte dein Bild eingelassen.

Einst fiel Merlin, der Vielgelehrte, der vaterlose Magus, der alte Teufelssohn, in sterbliche Liebe zur Nymphe Nimue. Sie sah dies mit grünen Augen und kaltem Herzen, und als er sie anflehte, ihm gewogen zu sein, lachte sie und nahm ihm den Schwur ab, niemals einen Bann auf sie zu legen und ihren kleinen Willen mit seiner Macht zu brechen. Und von nun an lauschte sie ihm, eines nach dem anderen, die Geheimnisse seiner Kunst ab, und aus ihr wurde eine mächtige Zauberin. Vielleicht war das von Anfang an ihr Ziel gewesen, wer weiß. Die Welt ist schlecht, und selbst die Schönheit kann böse sein. Nun, eines Tages kamen Nimue und Merlin zu einer Grotte. Und zwar, man vermutet es schon, einer magischen Grotte; die Legenden sind voll von diesen dämmrigen, kristallglitzernden Orten. Nimue brachte den alten Mann (nicht ganz so alt nach manchen Quellen) dazu, die Höhle zu betreten, wiewohl er wußte – denn was wußte er nicht? –, daß das Unheil bringen würde. Und dann sprach sie ein Wort, welches die Höhle versiegelte: Ein steinerner Vorhang schloß sich um Merlin und sperrte ihn für immer ins Herz der weichen, dunklen Erde.

Traurig, nicht? Wir wissen nichts von Nimue, nicht, woher sie kam, nicht, wohin sie ging, und auch nicht, was sie mit der Macht anfing, die sie dem großen Zauberer gestohlen hatte. Was wir wissen, oder zu wissen glauben, ist nur, daß Merlin sie liebte, daß sie Merlin nicht liebte und daß sie Merlins Verhängnis war. Das ist alles. Und es ist auch genug.

Aber wie mag sie ausgesehen haben? Wir wissen auch das nicht; die grünen Augen sind eine Unterstellung von mir, belegt durch nichts. Sie muß wohl vollkommen gewesen sein, oder sehr nahe daran. Bedenken wir: Merlin war nicht der freundliche Bartträger mit dem weiten Mantel, als der er durch unsere Zeichentrickfilme streicht. Er war ein Hellseher, ein Mann mit großer Macht über die belebte und unbelebte Welt, jemand, der Gewitter auf die Erde ziehen konnte und auf dessen Befehl Felsen aus dem Boden wuchsen. Er war ein hoher heidnischer Zauberer, ein Wesen von großer Statur, fast eine Art vorchristlicher Gott, übriggeblieben aus einer nebelfernen Vergangenheit.

Aber wenn es sein Plan war? Wenn selbst hinter Nimue, der kleinen, klugen, bösen, schönen, so schönen Nimue, Merlins großer Wille stand? Denn seien wir doch ehrlich: Kann Merlin etwas zustoßen, das Merlin nicht wünscht? Er wollte wohl die Welt verlassen, nicht mehr durchs Land wandern und sich um die Dinge der Menschen kümmern – Artus, Marke, Ginover, sie alle langweilten ihn vermutlich schon sehr. Auch er war sterblich, trotz allem –, und wer ermißt, was es heißt, Merlin zu sein und sterben zu müssen! Vielleicht hatte er die Höhle, die sein Grab sein sollte, schon lange ausgewählt. Vielleicht wollte er ganz am Ende noch etwas kennenlernen: die Liebe und die Dummheit; er hatte viel davon gehört, und doch nie ganz verstanden, wovon die Leute sprachen. Vielleicht war Nimue seine beste Schöpfung, die schwerste und größte Tat seiner Kunst.

Denken wir noch weiter. Stellen wir uns Merlins hilfloses Erstaunen vor, als er Nimue, die endlich zum Leben Erwachte – wieviel Zeit hatte es ihn wohl gekostet und welche Kraft, den widerspenstigen Stoff in diese Form zu zwingen? –, als er also Nimue zum ersten Mal ansah – und nichts fühlte. Das war sie, und sie war schön; na und? Was hatte er denn erwartet? Hatte er sich wirklich eingebildet, er, Merlin, würde dumm sein können und sich verlieben? Er konnte es natürlich nicht.

Aber trotzdem spielte er wohl mit und tat, was zu tun er sich vorgenommen hatte. Er sah seinem Geschöpf mit leicht spöttischer Melancholie dabei zu, wie es sich bewegte, wie es lachte, wie es ihn zu verführen versuchte und stolz darauf war, daß es ihm gelang. Mag sein, daß es der eine oder andere griechische Bildhauer einst fertiggebracht hatte, sich in eines seiner Werke zu verlieben; Merlin gelang das nicht. Vermutlich war er zu groß, zu klug. Aber er hatte wenig Lust, als Musterbild des gescheiterten Künstlers oder, schlimmer, des gescheiterten Gottes in die Geschichte einzugehen, und so behielt er für sich, daß er selbst Nimue geformt hatte. (Hätte ein Fremder genau hingesehen, wäre ihm vielleicht eine gewisse Blässe, ein unsicheres Flackern an ihr aufgefallen, und er hätte erraten, daß sie ein Phantasiegebilde war, durch unsaubere Manipulationen in die kalte Wirklichkeit verpflanzt. Aber die Welt war noch dunstverhangen, die Gedanken unscharf und kaum jemand gewillt, genau hinzusehen.) Merlin tat, was er tun mußte, um die Sache zu Ende zu bringen: Er kniete vor ihr, er flehte um ihre Gnade, er dichtete sogar ein oder zwei mittelmäßige Lieder für sie. Er verriet ihr seine Geheimnisse, er brachte ihr die Worte, Gesten und Gedanken bei, die sich Erde, Feuer, Wasser und die kristallene Luft gefügig machen. Er tat so, als ob er seinen Willen unter den ihren beugte, und sah zu, wie ihre dünne, geisterhafte Seele sich daran belustigte.

Und schließlich, am vorbestimmten Tag, führte er sie zur Höhle. Als sie ihn bat, hineinzugehen, unterdrückte er ein Lächeln, sah sich noch einmal um, seufzte und ging. Dann hörte er sie die Formel sprechen – und war es nicht eigentlich er, der sprach? –, und die Dunkelheit sank über ihn, und dann kam nichts mehr. Und Nimue? Für einige Momente war sie wohl auf eine böse, hämische Art glücklich, aber dann muß sie eine seltsame Leere gefühlt haben. Ob sie es wohl noch merkte, ob sie einen Augenblick lang, bevor alles vorbei war, erkannte, daß es sie nie gegeben hatte, daß sie die Erfindung eines anderen war? Und dann waren nur noch der helle Himmel da und der Nebel und Bäume und einige vorbeifliegende Vögel, denen es egal war. Nimue hatte sich aufgelöst, ein sanfter Windstoß hatte sie aus der Welt geweht, noch bevor sie mit ihrem letzten Gedanken zu Ende war. –

Wozu das alles? Wozu diese Geschichte? Das in etwa hast du mich gefragt, als ich sie dir erzählt habe. Ich konnte dir damals nichts antworten, ich kann es noch heute nicht. Seit mir Merlin zum ersten Mal begegnet war, in Beerholms trägen Gutenachtgeschichten, hatte ich ein merkwürdiges Verhältnis zu ihm. Die Welt, ich fühlte es damals, und ich bin noch immer davon überzeugt, muß viel reicher gewesen sein, als er noch lebte, und sie verlor sehr, als er seinen Höhlentod starb. Moderne Historiker behaupten, daß den wirren Legenden, die von ihm erzählen, eine geschichtliche Person zugrunde liegt, ein heidnischer Priesterkönig oder königlicher Priester aus dem Halbdunkel des sechsten Jahrhunderts.

Möglich, daß sie recht haben, aber es ist unwichtig. Es interessiert mich nicht. Er hat gelebt, wie viele Personen, die der Historie nicht bedürfen, um wahr zu sein. Wie König David, wie Jeremias und Odysseus. Wie die Stadt Jericho. Man hat herausgefunden, daß sie schon zerstört und unbewohnt war, lange bevor die ersten jüdischen Stämme sich ihr näherten. Ich glaube das, und trotzdem werde ich nicht aufhören zu glauben, daß ihre Mauern von den Posaunenstößen Israels zersplittert wurden. Es gibt eine Wahrheit der Bestimmung und eine des Zufalls, und die ändert sich mit jedem Kieselstein, der am falschen Platz liegt. Man soll sie zur Kenntnis nehmen, aber nicht zu ernst.

Nein, du läßt dich nicht ablenken. Du willst nichts von Merlin und Nimue hören und nichts über das prekäre Verhältnis von Wahrheit und Weltgeschichte, den beiden feindlichen Cousinen. Du hast eine ganz andere Frage.

(Das heißt natürlich: Du hättest sie, würdest du das hier lesen, was du nicht tust und nicht tun wirst. Aber erlaube mir, den Konjunktiv zu vermeiden, den bösen Künder der Unmöglichkeit.) Du möchtest wissen, wieso in diesem Bericht meines kurzen, ereignisarmen Lebens noch keine Frauen vorgekommen sind. Gab es sie nicht? Keine einzige?

Nein, es gab sie nicht. Es gab keine vor dir, neben dir, mit dir, im Vergleich zu dir. Dein Auftreten löschte jede andere aus, vorauswirkend in die Zukunft und auch zurückstrahlend in die Vergangenheit. Das eine oder andere farblose Wesen, dem ich irgendwann in einem Hinterzimmer meines Daseins begegnet sein mochte, löste sich in deinem Licht auf und verschwand, ohne auch nur einen Fleck oder eine ausgebleichte Stelle zurückzulassen, aus der Zeit. Falls wirklich jemand da war, kannst es nur du gewesen sein, in einer vorläufigen, noch unfertigen, noch nicht zu Ende modellierten Gestalt.

Habe ich damals, in einem schattengefleckten Zimmer, auf eine bestimmte Frage eines listigen, blinden Priesters gelogen? Bei Gott, ich weiß es nicht. Bist du der Grund, daß ich eine seltsame, vielleicht falsche, vielleicht furchtbar falsche Entscheidung getroffen habe? Und warum frage ich dich all das; du wirst ja doch nicht antworten. Es sind Gegenfragen; Verschleierungen, Abschweifungen, Lichtspiele unter einem taghellen Himmel, in Szene gesetzt von einem etwas verbrauchten Meister der Ablenkung. Von einem routinierten Illusionisten, der dir auf eine bestimmte Frage nicht antworten möchte.

Nun, ich sprang rechtzeitig vom fahrenden Zug, und

die höchste Macht der Welt, die Befugnis, zu binden und zu lösen, ging an mir vorbei. Meine triste Existenz als Nachtlokalzauberer und Mittelklassefalschspieler begann. Aber wo warst du? Denn auf eine seltsame Art wußte ich immer, daß es dich gab. Schon als Kind wußte ich, daß du irgendwo da draußen warst und zugleich mit mir, Sekunde um Sekunde älter wurdest. Und später hatten die Sonnenaufgänge und das Gras von Les Vescaux nicht immer auch irgend etwas mit dir zu tun? Aber du warst nicht da. Und dabei kann es sein, daß du mehrmals in eine Straßenbahn gestiegen bist, aus der ich gerade ausgestiegen war. Daß ich mich irgendwo nach meinen Schuhbändern bückte, während du vorbeigingst, den Blick auf den wolkigen Himmel gerichtet. Daß ich über eine zwischen Westen und Osten aufgespannte Brücke ging und du darunter von Norden nach Süden. Wer weiß, wie oft sich die Linien berührten, auf denen wir durch den Raum zogen. Und wir ahnten nichts. Und so erinnere ich mich noch gut an den Tag, an dem ich plötzlich vor dem Gedanken stand, daß wir uns vielleicht nie treffen würden. So viel Zeit war schon verschwendet – noch einmal so viel, und es würde zu spät sein. Womöglich war die Entfernung zwischen uns so groß, daß weder du noch ich sie je überwinden konnten; aber selbst wenn wir in derselben Stadt lebten oder sogar in derselben Straße, wer garantierte denn, daß nicht ein humorvoller Engel seinen Spaß daran hatte, zu arrangieren, daß wir aneinander vorbeigingen, immer wieder, so wie die Figuren in Boulevardkomödien vier Akte lang durch Zimmer eilen, Türen öffnen, Türen schließen und eine Auflösung vermeiden, indem sie sich stets um ein paar Sekunden verfehlen. Ein Leben ist wenig, Nimue, und es ist schnell vorbei.

Ja, eines Tages fiel mir all das ein. Ich durfte es nicht dazu kommen lassen; ich mußte dich an mich heranholen, dich zur Wirklichkeit machen. Ich begann damals nicht nur, am schlechthin vollkommenen Kartenprogramm zu arbeiten, sondern an noch etwas: an dir.

War ich denn kein Magier? Sollte ich denn nicht stärker sein können als der Zufall, der blinde Halbidiot? Sollte es denn nur mit Karten funktionieren? Nein, es mußte zu machen sein. Du warst irgendwo da draußen, aufgelöst im Unbestimmten; noch hattest du keinen Namen, keine Gestalt, keine Seele; du warst nicht mehr als eine Vorstellung, die sofort zerfloß, wenn ich versuchte, genau hinzusehen. Aber ich würde dich befreien. Wie ein Bildhauer seine Figur aus dem Stein holt, so würde ich dich aus dem Reich des Möglichen schälen.

Also fing ich an. Ich versuchte, meine Aufmerksamkeit auf dich zu richten, mir eine Vorstellung davon zu machen, was du tatest und dachtest und wie du aussahst. Versteh mich richtig: Das war kein Träumen. Es war schwere Arbeit, ein ungeheuer anstrengender und kaum länger als ein paar Minuten in voller Intensität durchzuhaltender Aufwand an Konzentration. Ich mußte jeden Gedanken in deinem Kopf, jedes Detail an deinem Körper, deinem Kleid, jeden Geruch, der deine Nase berührte, jeden flüchtigen Einfall, der deinen Geist streifte, Gestalt annehmen lassen. Ich mußte dein Leben entwerfen, und zwar flußaufwärts gegen die Zeit, von der Gegenwart zurück bis zum Moment deiner Geburt. Ich mußte dich erfinden.

Zuerst deine Augen. Sie mußten die Farbe von Gras haben, von feuchten Blättern, von Moos, das auf alten Steinen wächst. Eine elfische Farbe. Die Augenfarbe aller Wesen, die nicht ganz Kinder der Welt sind. Oh, ich kannte deine Augen. Wie oft hatten sie sich an den verschiedensten Orten unerwartet auf meinen Hinterkopf gerichtet, nur um verschwunden zu sein, wenn ich mit Herzklopfen herumfuhr.

Dann dein Gesicht. Das was nicht schwer, in Anbetracht deiner Augen, ja es war nicht viel mehr als eine stoffliche Ausstrahlung von ihnen, ein Kompromiß zwischen dem, was sie als ihre Fassung forderten, und den Regeln der Physiognomik. Lange Wimpern, die sie vor den Attacken des Staubes schützten und der feindlichen Umwelt. Eine dünne Nase und Augenbrauen in schwarzem Halboval, Umrahmung und Verzierung. Die Lippen, der Pinselstrich eines Renaissancemalers der Mittelklasse, nicht zu vollkommen, damit sie den Blick nicht ablenkten. So auch die Wangenknochen: nicht zu breit, nicht zu breit. Und die Haare? Nun, das war nicht so wichtig. Schwarz würde sich wohl am besten machen, des Kontrastes wegen.

Dein Körper. Ach, der war das Schwerste und zugleich das Leichteste. Ich kannte ihn nicht, natürlich nicht. Und andererseits kannte ich ihn schon genau. Aber glaub mir: Hätte ich die Wahl gehabt, dir entweder nie zu begegnen oder nie im Fleische, bloß in Briefen, an einem rauschenden Fernsprechgerät oder als Stimme aus einem malerischen Wolkenarrangement, – ich hätte tausendmal lieber und glücklich das zweite gewählt. Ein großer Teil meines

Lebens, der wichtigste wohl, spielt sich in einer abstrakten Welt ab, in der Nähe von geometrischen Figuren, Zahlen, Kombinationen und dem kühlen Reich des Glaubens. Die Verdammungen des Fleisches, wie sie wieder und immer wieder und so ermüdend durch die Schriften hallen, wurden für entscheidend andere Leute geschrieben als mich. Ihnen zu gehorchen kostet Mühe, natürlich, aber doch eigentlich nicht sehr viel. Betrachte das als ein Geständnis.

Also, ich formte deinen Körper, das elegante Gerüst, das schlanke Festtagskleid deiner Seele. Lange, gut verwendbare Glieder, angeordnet auf einer graziös geschwungenen Linie. Das Grundkonzept war abstrakt und graphisch, dann erst trug ich die Farbe auf. Ein ins Weißliche gleitendes Beige, da und dort auch ins Pfirsichrote spielend oder gefleckt von angedeuteten Sommersprossen. Ich wußte damals noch nichts von deinem Hang zur Höhensonne, die eine makellos dunkle Tönung über all das legen würde. Zwei Linien malten deine Schultern, glitten um deine Brüste, näherten und entfernten sich und formten dein Becken. Anatomie, erstes Semester. –

Aber wer warst du? Ich mußte ja nicht nur dein Äußeres modellieren, sondern auch dich selbst, dich. Warst du klug? O ja. Hattest du Humor? Viel, und bis zur Grausamkeit. Charakter? Mehr oder weniger. Kraft, Klarheit, Selbstbewußtsein? Eine Menge davon. Warst du durchschaubar? Kaum. Leicht zu verwirren? Nur durch einen Meister der Täuschung. Religiös? In etwa so wie jedermann, manchmal, manchmal auch nicht, nach Stimmung, ohne Festigkeit. Warst du gut? Zuweilen. Und was kann man mehr verlangen?

Aber du brauchtest noch einen Lebenslauf, einen Beruf, eine Wohnung, all diese alltagsgrauen Dinge. Es mußte Geschäfte geben, in denen du in Plastik geschweißte Lebensmittel kauftest, einen Friseur, der lächelnd deine Haare zurechtkürzte, einen Arbeitsplatz, Kollegen, Bekannte ... – Es war sehr unangenehm, mir das klarzumachen. Wie ich es dir gewünscht hätte, außerhalb zu stehen, unberührt vom Spülwasser und der Ödnis des kleinen, normalen Lebens! Nun, einige Freiheiten konnte ich mir erlauben; ich war es schließlich, der hier die Regeln bestimmte! Also: Du hattest ein nicht großes, doch ausreichendes Vermögen geerbt, also kein Sklavendasein, keine Arbeit, keine Kollegen. Die Bekannten skizzierte ich flüchtig und ließ das meiste in der Andeutung: Da eine ehemalige Schulkollegin, dick geschminkt und mit violett lackierten Fingernägeln, dort eine alte Großtante, nett, zerstreut, mit verschwommenen Erinnerungen an den Ersten Weltkrieg, dazu noch fünf oder sechs schattenhafte Gestalten, die nicht aus dem Hintergrund traten und nicht weiter ausgeführt werden mußten. Deine Wohnung erforderte mehr Sorgfalt. Ich klebte einige Tapeten an die Wände, legte die Böden mit Teppichen aus und verteilte Bilder, Fenster und Spiegel über die Räume. Das sollte genügen.

Und dein Name? Aber den hattest du doch schon, nicht von mir, sondern von einem anderen, größeren. Jeder, den du wohl außerdem tragen mochtest, war überflüssig und falsch, eine unnütze Folge von Lauten, die nichts bedeutete, jedenfalls nicht dich. Ich habe es dir oft gesagt, und ich sage es noch einmal: Vergiß ihn, wirf ihn weg, es gibt nur einen Namen, der dein Name ist. Er ist älter als du, aber er gehört dir; ich habe ihn wiedergefunden und dir überreicht, vielleicht war er ja auch seit jeher für dich bestimmt, wer weiß. Wie auch immer du dich sonst nennen magst, ich will es nicht wissen, ich weigere mich, es zu wissen.

So also arbeitete ich an dir. Als ich mein Engagement im *Chez Janine* beendete und in Jan van Rodes Nähe zog, nahm ich dich einfach mit, dich und alles, was zu dir gehört: Freundin, Tante, Wohnung. Dazu noch einen Papagei und eine schweigsame Katze, die ich dir inzwischen geschenkt hatte, vielleicht nur, weil sie beide ähnliche Augen hatten wie du. Es gab keinen Tag, an dem ich nicht an dich dachte, dir ein Detail hinzufügte oder ein anderes berichtigte. Du nahmst Gestalt an, o ja. Ich fühlte, daß du in der Nähe warst.

Und dann war es soweit. Wo sind wir uns begegnet? Auf der Straße unter dem freien, staubigen, flugzeugglitzernden Himmel? Oder im gepflegten Inferno der U-Bahn? Bei van Rode? Oder anderswo? Um ehrlich zu sein, ich weiß es nicht. Es gab Dutzende Möglichkeiten, und ich hatte sie alle so oft Gegenwart werden lassen, daß ich nun nicht mehr sagen kann, welche von ihnen plötzlich unerwartet, lang erwartet, erschreckend, strahlend in die Wirklichkeit trat. Vielleicht auch, daß es langsam geschah; daß es eine Zeit gab, in der du noch halb ein Teil meiner Phantasie warst und halb erst einer der festen, weiten, realen Welt. Eine Zeit des Übergangs, des Verschwimmens der Grenzlinien. Vielleicht gab es Momente, in denen keiner, nicht der Klügste und vielleicht nicht einmal Gott, sicher hätte sagen können, ob du auf dieser Seite oder auf der anderen standest, ob du noch meine Erfindung warst oder schon niemandes Erfindung mehr. Möglich, daß es so war; möglich, daß auch nur meine Erinnerungen in eine flirrende Unordnung geraten sind. Es waren verwirrende Tage. – Aber als sie vorüber waren, warst du da.

Nicht alles stimmte mit meinem Konzept überein; in das eine oder andere hatte sich der Zufall eingemischt. Anstatt schwarzer Haare hattest du rote. Statt Geschmack eine seltsame Vorliebe für geblümte Kleider. Den Papagei hatte die Katze gefressen. Und deine Augen – und vielleicht erkannte ich dich deshalb nicht sofort – verdeckte meist eine modische Sonnenbrille mit undurchsichtigen Spiegelgläsern. Eigentlich war das gar nicht so schlimm, denn ich mußte entdecken, daß diese Augen mir Angst machten. Ich hatte sie wohl zu oft in meiner Einbildung gesehen; es war schwer, sich daran zu gewöhnen, daß sie jetzt so echt waren wie jeder Tisch und Stuhl, wie die Wolken, wie der Himmel.

Ja, du warst es wirklich. Es war gelungen, es war tatsächlich und unbegreiflicherweise gelungen. War es denn nicht verzeihlich, wenn ich mir wie ein großer, ein wirklich großer Zauberer vorkam, wenn ich in diesen ersten, glücklichen, von ungläubiger Dankbarkeit durchtränkten Wochen das Gefühl hatte, mich mit jedem, jawohl jedem meiner Vorgänger vergleichen zu können? Für kurze Zeit schien alles erreichbar zu sein, und vielleicht hatte ich damit – damals – auch recht.

Wenn da nicht eine schmerzende Stelle gewesen wäre, ein stechender, nicht zu überwindender Zweifel. War das denn wirklich möglich? War ich nicht auf etwas hereingefallen, auf eine seltsam geschickte Täuschung? Was hier geschehen war, geschah doch sonst nur in blendenden Halluzinationen. Oder warst du doch nicht meine Schöpfung; warst du Zufall durch und durch, ein fremdes Weltkind, das meinem mühevoll erträumten Wesen nur ähnlich sah? Ich dachte daran, van Rode um Rat zu fragen oder sogar Pater Fassbinder, aber dann ließ ich es sein. Wahrscheinlich würden sie mich nicht verstehen, oder, schlimmer, einer von ihnen würde es doch, und mit ein paar kurzen und furchtbar klaren Sätzen würde er alles in ein Trugbild, einen Wahn, einen Irrtum auflösen. Und das durfte nicht sein, um keinen Preis! Aber die Unsicherheit blieb und wollte nicht gehen. Ob Merlin etwas Ähnliches erlebt hat? Ob er jemals wirklich daran glauben konnte, Merlin zu sein? Irgendwo in ihm muß es immer den Verdacht gegeben haben, daß er ein schlafender Verrückter war, der ärmlichste der Menschen, der sich einbildet, Könige gekrönt und den Tempel von Stonehenge aufgetürmt zu haben. Was hätte er nicht für Gewißheit gegeben – aber Gewißheit ist nicht zu haben. Niemals. Und schon gar nicht für Zauberer. Nur einmal brachte ich es über mich, dich zu fragen: «Bist du denn wirklich hier? Gibt es dich? Wirklich?»

Entschuldige, aber du schienst mir plötzlich so unwahrscheinlich. Es war ein klarer Tag, du trugst ein ärmelloses Sommerkleid, der Wind fingerte zerstreut in deinen Haaren, das Licht malte zwei winzige Sonnen in deine Brillengläser.

«Aber sicher», sagtest du. «Seltsame Frage!»

«Es ist nur», sagte ich, «weil ich Angst habe … daß …
ich wahnsinnig bin … » Nimue, liebste Nimue, schönste
Tochter des Rätsels und der Helligkeit, du hättest damals
nicht lachen dürfen! Wie konntest du lachen?

Es war auch die Zeit meines überraschend, ja unsinnig
schnellen Aufstiegs. (Etwas unangenehm Traumhaftes war
auch an ihm; er ähnelte sehr einem dieser überhasteten
und laienhaft inszenierten Szenenwechsel vor dem Aufwachen.) Doch alles schien sich fügen zu wollen und endlich,
endlich in Ordnung zu kommen. Eine unauffällige aber
schmerzhafte Dissonanz hatte sich nun doch zum Akkord
gelöst.

Oder? Ach, du hast dich wieder nicht ablenken lassen.
Wie kommt es, daß du gegen meine Kunst so immun bist?
Nein, du hast nie versucht, in meine Berufsgeheimnisse
einzudringen, und das, obwohl es dir nicht schwergefallen
wäre; ich hätte dir nicht lange widerstanden. Meine Ent-
schlossenheit, Höhlen, Gewölbe und Keller unbedingt zu
meiden, war nie einer starken Prüfung ausgesetzt, weil du
niemals auf die Idee kamst, mich dorthin zu schicken.
Einmal habe ich versucht, dir ein einfaches Kunststück,
eine schlichte Kartenwiederfindung, beizubringen, aber
du warst entsetzlich ungelehrig. Nein, du bist keine Zauberin, und wenn, dann hast du es gut vor mir versteckt.
Wie bitte?

Ach, deine Frage. Wieso quäle ich mich überhaupt damit ab, wozu simuliere ich deine Zwischenrufe, du bist ja
nicht hier, und was auch immer ich sage, du wirst es nicht
hören! Vielleicht gerade darum. Daß niemand das hier lesen wird außer mir und einem überforderten Cherub am

Tag der Auferstehung allen Fleisches und allen Papiers, das zwingt mich zur Ehrlichkeit. Also, deine Frage. Diese alte, von dritt-, viert-, fünftklassigen Romanen abgenützte, von bleichen Filmstars zu Tode beantwortete, unendlich banale Frage.

Ob ich dich liebe? Ob ich dich geliebt habe? Irgendwann, auch nur für einen einzigen Moment? Liebe: Im Grunde war mir nie klar, was dieses Wort außerhalb der Kloake des Kitsches für eine Bedeutung hat. Gott liebt uns, sagt man, aber es war mir immer schwer begreiflich, wie jemand, der alles weiß, mehr als ein kühles und sachliches Verständnis für uns aufbringen soll. Gott, schrieb Spinoza, liebt niemanden. – Nein, ich will dir nicht schon wieder ausweichen. Hatte ich für dich oder jemanden oder etwas je das Gefühl, das man in diese prunkvollen fünf Buchstaben faßt? Ehrlich gesagt, ich weiß es nicht. Ich bezweifle es. Statt der Fähigkeit zu wirklicher Liebe, ob christlich, heidnisch oder sonstwie, fand ich in mir immer nur eine sinnlose und ins Unbestimmte zielende Warmherzigkeit, ein plötzlich hervorbrechendes Mitleid beim Anblick eines weinenden Fünfjährigen, eines pelzigen Hundes, angebunden vor einem Geschäft und in winselndem Zweifel, ob er seinen Herrn je wiedersehen wird, eines Straßenkehrers mit weinroter Nase oder auch nur einer kleinen Tanne, über die ein großer Flegel, eine erwachsene Fichte, ihren schweren Schatten gelegt hat. Vielleicht ist das ja auch die wertvollste Art von Liebe, jene, die – wenn überhaupt – von Zeit zu Zeit ein Gott gegenüber seiner Schöpfung empfindet. Vielleicht aber auch nur dumme Sentimentalität, keinem wahren Gefühl vergleichbar. Bei meinem Leben – kein sehr kostspieliger Schwur im Augenblick! – ich weiß es nicht.

Hast du mich deswegen allein gelassen? Nimue, ich hätte vermutlich jedes Geheimnis der Welt preisgegeben, ich wäre dir an jeden dunklen und staubigen Ort gefolgt, auf die Gefahr, dort eingesperrt zu werden, in alle Ewigkeit oder länger. Ich hätte alles getan, was in meiner Macht stand, und, glaube mir, das war nicht so wenig. Aber offenbar nicht genug.

Wo bist du jetzt? Gibt es dich noch? Hast du wirklich ein eigenes Leben, ganz unabhängig von mir, ganz ohne mich? Oder hast du dich wieder in die Elemente aufgelöst, aus denen ich dich destilliert und geformt habe, den Sommerwind, das Gras im Frühling, den Mittagshimmel und all die anderen? Ich könnte nicht einmal mit Bestimmtheit sagen, wann ich dich verloren habe; du hast dich sehr langsam, sehr fließend von mir entfernt. Es war, als ob du nach und nach an Deutlichkeit verloren hättest, an Intensität. Und dann auf einmal erloschen warst. Aber wer weiß, vielleicht ist das Unsinn, und du lebst jetzt irgendwo in einem farblosen Haus unter gleichgültigen Menschen und tust etwas Gleichgültiges, und manchmal denkst du an mich und grinst amüsiert.

Vor ein paar Monaten war ich in der Wüste. Ja tatsächlich, in einer wirklichen, ganz unmetaphorischen, behördlich anerkannten Wüste. Der König eines kleinen Ölstaates hatte mich einfliegen lassen, zur Unterhaltung seiner Gäste auf einer privaten Feier und für eine Gage, die ich nicht nennen werde, um nicht den Neid der Erzengel zu erregen. Ein Offizier war angewiesen, mir die Sehenswürdigkeiten zu zeigen – ein schwerer Auftrag, denn es gab keine. Und deswegen setzte er mich in einen Jeep und brachte mich in die Wüste. Es war nicht weit; sie schloß sich um die Hauptstadt wie das Meer um eine dämmrige Insel.

Wir fuhren eine Zeitlang, und plötzlich, mit einem seltsamen Schrecken, fiel mir auf, daß es genauso war, als ob wir stillständen. Um uns bewegte sich nichts, änderte sich nichts. Zu allen Seiten streckte sich eine hügellose Ebene nach dem Horizont, vom Boden – rötlicher Staub, fein zermahlenes Geröll – stieg eine weiche, trockene Hitze auf. Der Offizier gab eine Anweisung, der Fahrer hielt. Wir horchten: Es war völlig still. Ich hatte nicht geahnt, daß es auch in der Stille noch Abstufungen gibt; in Eisenbrunn war es nie auch nur halb so still gewesen, das Wort totenstill, glaub mir, hat durchaus einen Sinn. Es roch nach Sand. Sehr weit über uns schnitt ein großer Vogel eine gezackte Linie in den Raum. Ich war im Nichts. Das war es: das Nichts.

Der Offizier klopfte mir auf die Schulter und zeigte schweigend auf etwas, ich folgte seiner Hand. Und da war es.

An einer Stelle sah es aus, als ob der Himmel verkrümmt war, gebogen in eine eigenartige Ausbuchtung. Und davor schwebten Farben. Sie bewegten sich aufeinanderzu, verschmolzen, glitten auseinander, zerfielen in bunt glitzernden Rauch, setzten sich neu zusammen, zerfielen wieder, setzten sich wieder zusammen. «Mirage», sagte der Offizier, «Fata Morgana. Nice, isn't it?» Es war unbeschreiblich. Die ungeheure heiße Leere, und mitten darin, hoch und groß, die geisterhaften Lichtspiele. Ein sinnlos leuchtender Tanz der Schönheit vor der unberührbar blauen, ewig blauen Leinwand. In diesem Moment dachte ich an dich, stärker und schmerzhafter als je zuvor. «Nice, isn't it?» wiederholte der Offizier. «you like it, don't you?» Ich antwortete nicht. Ich brachte es nicht fertig.

IX

Zuerst, lange, geschah gar nichts. Dann begann jemand, irgendwo in einer der hinteren Reihen, zu klatschen. Kraftvoll und hallend, fast wie Axtschläge; bei jedem einzelnen zuckte ich zusammen. Dann setzte ein zweiter ein, dann noch einer, noch einer, und plötzlich prasselte der Applaus wie ein Platzregen. Ich verbeugte mich, kurz, nicht zu tief, und blinzelte in das Gleißen der Scheinwerfer – umsonst, die Menschen unter mir blieben gesichtslose Schemen. Das Klatschen hielt an, ich verbeugte mich wieder und sah mich unsicher um; ich konnte nicht abgehen, der Applaus bannte mich an diese Stelle, fesselte mich, hielt mich fest. Und er wurde nicht schwächer, noch immer nicht. Da sprang eine der Silhouetten auf und schrie etwas – und noch eine. Ich verbeugte mich wieder, und während ich gekrümmt dastand, die Augen auf den Holzboden der Bühne geheftet, schwoll der Lärm plötzlich zu einem riesigen und vielstimmigen Brüllen an. Ich erschrak und trat unwillkürlich einen Schritt zurück, noch bevor ich wieder aufsah. Sie standen! Alle! Alle Menschen im Saal, soweit ich es sehen konnte, standen auf ihren Füßen und klatschten. Von allen Seiten, hallend und echoschwer, strömten Rufe und Geschrei und Pfiffe. Und jetzt auch Getrampel, Hunderte dröhnende Fußtritte gegen den armen Boden. Und sie hörten nicht auf. Der Lärm hielt an und hielt an und hielt an. Ich lächelte verwirrt und verbeugte mich noch einmal. Und noch einmal. Aber sie hörten nicht auf.

Als ich endlich, benommen und ein wenig schwankend, in die Garderobe kam – später erfuhr ich, daß ich über fünfzehn Minuten lang im Applaus gestanden hatte –, wurde ich erwartet. Eine Reihe von Leuten streckten mir Hände entgegen, klopften mir auf die Schultern; einige umarmten mich sogar, obwohl ich keinen von ihnen je gesehen hatte. Ein Monitor zeigte, wie draußen auf der Bühne ein dürrer Mann mit einer dürren Gitarre ein dürres Lied sang, doch vergeblich; keiner kümmerte sich um ihn. Immer neue Menschen kamen in die Garderobe, sahen sich prüfend um, erblickten mich, steuerten auf mich zu, berührten mich, sagten etwas und traten zurück. Eine junge Frau küßte mich auf beide Wangen, eine andere klopfte mir liebevoll auf den Kopf. Irgendwann stand van Rode vor mir, lächelte und war verschwunden. «Wir müssen reden!» sagte ein kleiner Mann mit einer roten Brille. «Wir müssen reden!» Und noch einmal: «Wir müssen reden!» Ein Staatssekretär mit einem Pressekonferenzgesicht schob ihn zur Seite und sagte etwas huldvoll Unverständliches. Ein Bartträger wollte ein Interview.

Jetzt erst erfuhr ich, daß die Benefizgala, auf der ich gerade, neben sieben Rock- und drei Opernsängern, einem Bauchredner und zwei tanzenden Schriftstellern, aufgetreten war, als eine ziemlich wichtige Veranstaltung galt. Im Publikum waren einige bedeutende Leute: Bäcker, Installateure, Journalisten, Minister. Es grenzte an ein Wunder (ja vielleicht handelt es sich hier wirklich um das einzige unauflösliche Mirakel meines Lebens), daß man es mir, einem völlig Unbekannten, erlaubt hatte, hier aufzutreten. Aber es hatten vor mir schon siebzehn Leute abgesagt, die Zeit war knapp gewesen, und van Rodes Fürsprache vermochte noch immer einiges. Ich hatte am Vortag eine Probevorführung vor einem nervösen Regisseur und zwei kritischen Beleuchtern gegeben und war für gut befunden worden. Ich hatte einige Kunststücke gezeigt, die ich in den letzten Monaten entwickelt hatte, und mir war klar gewesen, daß einige davon ziemlich ungewöhnlich waren. Ich hatte mit einem gewissen Erfolg gerechnet. Aber nicht mit einem solchen.

Als ich am nächsten Morgen wieder zu mir kam, war jemand im Raum. Ich brauche nach dem Aufwachen immer ein paar Sekunden, um mir darüber klarzuwerden, an welcher Stelle des Planeten ich mich befinde und warum, und deshalb bemerkte ich es nicht sofort. Aber dann sah ich ihn. Es war ein nicht sehr großer Mann, Mitte vierzig, gut rasiert und mit einer roteingefaßten Brille. Er stand am Fenster, umrahmt vom frühen Sonnenlicht, wie eine Einbildung, die sich hartnäckig weigerte, zu verschwinden. Und er musterte mich neugierig.

«Endlich!» sagte er. «Ihr Vermieter hat mich reingelassen, sehr netter Herr übrigens. Sie schlafen aber lang! Wir müssen reden.»

Jetzt erst erkannte ich ihn wieder. Also redeten wir. Er jedenfalls tat es. Ich hörte zu, rieb mir die Augen und gähnte zuweilen.

Er hieß Wellroth und war Agent. Früher hatte er sich

um einen weltberühmten Zirkus gekümmert (er nannte den Namen, ich kannte ihn nicht), dann um einen wichtigen Mittelgewichtsboxer (kannte ich ebenfalls nicht), schließlich um einen legendären Hypnotiseur (auch ihn nicht). Jetzt sei er, und das hätten wir beide als glücklichen Umstand zu betrachten, zufällig gerade frei und bereit, sich einem neuen Projekt zu widmen. Nicht, daß es ihm an Angeboten fehle, o nein, wahrhaftig nicht, doch er sei auf der Suche nach etwas Überraschendem, gänzlich Neuem, kurz: nach mir. Wir hätten uns gefunden, und das Schicksal habe, daran bestehe kein Zweifel, Großes mit uns beiden vor. Ich sei ein großer Künstler, ob ich das wohl wüßte …? Ich wußte. Ja nun, und von jetzt an hätte ich mich um nichts mehr zu kümmern als meine Kunst, alles andere, Lästige, Geschäftliche, würde er, Wellroth, für mich erledigen. Übrigens, wie funktioniere eigentlich dieser Trick mit den schwebenden Münzen, die sich in Licht verwandelten, nur aus Interesse …? Nein, es sei ganz richtig, daß ich es nicht verriete, völlig richtig. Also nochmal: von nun an folgende Aufteilung: Beerholm erledigt die Kunst und Wellroth das Geschäft. Und hier der Vertrag.

Er legte ein paar dünnbedruckte und zusammengeheftete Blätter auf meine Bettdecke. Er hatte in dieser Nacht nicht geschlafen, nein, keine Minute, sondern dies hier ausgearbeitet. Hier bitte, ein Kugelschreiber.

Ich blätterte den Vertrag durch, bis zur letzten Seite, wo eine dünn punktierte Linie auf meinen Namen wartete. Dann gähnte ich, nahm den Kugelschreiber und unterschrieb.

«Was?» rief Wellroth und fiel vor Überraschung ganz aus seiner Rolle. «Wollen Sie es nicht durchlesen? Einmal wenigstens ...?»

«Ich will schlafen», sagte ich und reichte ihm den Vertrag. Einen Moment lang betrachtete er mich starr und mit halboffenem Mund, dann, mit einer schnellen Bewegung, griff er danach, murmelte einen Gruß und ging hinaus. Ich sank wieder ins Bett zurück und schloß die Augen. Auf dem Hof quietschte eine Schaukel, zwei Kinder stritten sich, ein Vogel schrie. Ich war noch immer sehr müde.

Wir sind umgeben von bösen Mächten, Verderben lauert überall, Arglosigkeit ist etwas, das wir uns nicht leisten können. Das trifft fast immer zu, manchmal kann man auch Glück haben. Wellroth, das möchte ich deutlich sagen und werde es wiederholen jetzt und in jeder künftigen Existenz, in die ich mein Gedächtnis mitnehmen kann, erwies sich als der beste und geschickteste Agent, den ich hätte haben können. Ich kenne ihn kaum, ich weiß nichts über ihn; nicht, ob er eine Familie hat, eine Frau, Kinder, eigentlich weiß ich nicht einmal seinen Vornamen. Wir haben wohl kaum zehn persönliche Sätze gewechselt; unsere Verbindung blieb kühl und beruflich. Aber auch makellos und ungetrübt.

In den nächsten Tagen wanderte mein Name durch die hinteren Seiten mehrerer Zeitungen. Ein Fernsehteam, bestehend aus einer Journalistin, einem zerzausten Kameramann und einem ebensolchen Mikrofonhalter, kam zu mir. Mein Zimmer schien ihnen zu gefallen, sie nahmen jedes Detail sorgfältig auf, den Tisch, das nicht gemachte

Bett, die Vierecke auf der Tapete, das stumm und neugierig durch die Tür spähende Vermieterehepaar. Dann erst richteten sie die Kamera auf mich. Wie gehe eigentlich der Trick, fragte die Journalistin, mit den verbrennenden Münzen? Es sei kein Trick, sagte ich, sondern Magie. Das verwirrte sie etwas, sie räusperte sich, warf einen unsicheren Blick in die Kamera und ging schnell zur nächsten Frage. Wo ich das alles gelernt hätte? Bei Blaise Pascal, sagte ich, und bei Jan van Rode. Sie nickte interessiert: Ob ich Vorbilder hätte, Thomas Brewey zum Beispiel ... – Nein, antwortete ich, niemanden und auch nicht ihn. Mit ihm hätte ich nichts gemeinsam, nicht die Methode, nicht einmal den Beruf. Sie sah mich mißbilligend an, dachte nach, hatte aber keine Frage mehr übrig. Kamera, Mikrofon und der kleine Scheinwerfer, ein winziger aber lästiger Blender, wurden abgeschaltet; man verabschiedete sich. Ach ja, etwas noch. Ob ich ihr die Adresse von diesem Mann geben könnte, meinem Lehrer, diesem Franzosen? Pascal, sagte ich bedauernd, habe eine Geheimnummer und sei sehr schwer erreichbar. Sie bedankte sich und ging, die zwei Männer schlurften hinter ihr her.

Wellroth machte mir heftige Vorwürfe; ich mußte ihm versprechen, keine Interviews mehr zu geben, ohne die Einzelheiten von ihm regeln zu lassen. «Man läßt doch», schrie er, «kein Fernsehteam in sein Schlafzimmer! Und wenn, dann macht man wenigstens vorher das Bett ...!»

Doch damals war ich mit diesen Feinheiten noch nicht vertraut. Das Gespräch wurde nachts von einem Privatsender in einer auf drei Minuten gekürzten Fassung ausgestrahlt und erregte ein gewisses Aufsehen. («Im Fernse-

hen», sagte Wellroth mit heiserer Stimme, «dürfen Sie alles sein, was Sie wollen. Nur niemals, niemals arrogant!»)
In der folgenden Woche kamen noch mehr Anfragen nach Interviewterminen, und einige davon, angeleitet durch Wellroth, akzeptierte ich. Es war ziemlich ermüdend: Einander ähnliche Leute stellten mir in immer gleichem Ton einander ähnliche Fragen, und ich antwortete so höflich wie möglich. Nicht mehr in meinem Zimmer, sondern in einem eleganten, goldziselierten und spiegelreichen Café, kunstvoll ausgewählt von Wellroth. Es war eine anstrengende Zeit, aber schon bald war ich ein wenig berühmt.

«Und jetzt», sagte Wellroth, «werden die Angebote kommen.» Und sie kamen. Langsam, zögernd, widerwillig beinahe. Aber sie kamen.

Fünf Abende im scharlachsamtenen Goethetheater, zwei davon vor Abonnementpublikum, einer übertragen vom Fernsehen. Ein Abend in einer Konzerthalle vor dreitausend Zuschauern. Eine Matinee zusammen mit dem Brahms-Streichquartett. Ein Gastauftritt in London. Noch ein Soloabend im Goethetheater.

Jenem letzten wollte ich ein neues Konzept zugrunde legen. Vor kurzem war ich in eine neue Wohnung gezogen – fünf große weiße Zimmer, umschlossen von Glaswänden. Und dort hatte ich einen Raum mit nichts als einem Reißbrett, einem Stehpult und einem Schreibtisch. Es gab Papier – glatt, liniert, kariert und auch Millimeterpapier –, Lineale von großer Genauigkeit, mehrere Taschenrechner, Tinte in vier Farben, Federn und eine große Zahl spitzer Bleistifte. Durch ein Dachfenster sah man nach oben;

hielt ich es geschlossen, waren die Geräusche ausgesperrt, und ich war allein mit dem vielfarbig blauen Himmel. Bloß die Spitze eines Fernsehturms ragte ins Bild.

Es war noch nie so leicht gegangen und so gut. Meine alten, abgelegten Kunststücke veröffentlichte ich so schnell wie möglich – *49 Escamotagen*; ein schönes, schlichtes, glattes Buch mittelmäßigen Inhaltes –, nicht, weil ich stolz auf sie war, sondern im Gegenteil, damit ich sie aus dem Kopf hatte, nicht mehr von ihnen beeinflußt werden konnte und nicht in Versuchung kam, eines von ihnen noch einmal zu verwenden.

Ich war über einen Monat in meinem Arbeitszimmer und verließ es nur für kurze, zerstreute Spaziergänge, für ein paar Besuche bei dir und für meinen zweitägigen Ausflug nach London, wo ich widerwillig die alten und überholten strahlenden Münzen und schwebenden Karten zeigte. Ich kam überraschend schnell voran, und wenn ich nur ein wenig mehr Neigung zu Romantik und Pathos hätte, würde ich von Inspiration sprechen. Aber ich wage das nicht, angesichts einer Arbeit, die trotz allem doch mathematischer und in höchstem Sinn technischer Natur ist. Das soll keine Herabsetzung sein, im Gegenteil. Ich habe es gesagt und sage es wieder und wieder: Auf keine Weise kommen wir dem Wunder so nahe wie in Begleitung von Zahlen. Die grauenhafte Unendlichkeit, die uns vom Jenseits trennt, wurde nur vom Auferstandenen überwunden und von der geometrischen Kurve; seltsam und erschreckend der Gedanke, daß sie eins sein könnten.

Ich umriß auf den Millimeter genau die Fläche, auf der ich mich bewegen würde, und maß jedem Schritt, jeder

Bewegung, jeder Handlung einen genau bestimmten Teil einer imaginären und unerbittlichen Zeit zu. Ich war zu der Ansicht gekommen, daß ein Magier vor allem das Feuer meistern mußte, das Unwirklichste, das am wenigsten Irdische unter allen Dingen. Außerdem wandte ich die Seltsamkeiten der Optik an – welcher Gegenstand ist merkwürdiger als eine Linse? – und die Verwicklungen, Widerhaken und Falltüren des reinen Denkens. Zwei Drittel aller Menschen, aufgefordert, eine Zahl zu nennen, verfallen auf die Drei oder die Sieben. Warum bloß?

Ein Nachteil war, daß ich Mitarbeiter brauchte. Einiges von dem, was ich vorhatte, konnte ich nicht allein ausführen. Nach dem Erscheinen der *49 Escamotagen* hatten mich einige Dutzend Briefe von hilflos formulierenden Bewunderern erreicht, darunter von erstaunlich vielen jungen Leuten, die gerne Zauberer sein wollten. Man macht sich keine Vorstellung davon, in wie vielen Köpfen der Wunsch spukt, aus der Unbekanntheit zum Ruhm zu klettern, an die helle Sonne der Öffentlichkeit, ins Licht. Und das Licht, das war ich. Also sah ich mir die Briefe genau an, sortierte die unleserlichen aus, untersuchte den Rest mit meinem ganzen geringen Einfühlungsvermögen und fragte schließlich van Rode um Rat.

«Tut mir leid», sagte er, «ich kann Ihnen nicht helfen. Ich habe keine Ahnung, wie man Adepten auswählt. Habe ich nie gemacht.»

«Sie haben mich ausgewählt», sagte ich.

«Ach, da wir davon sprechen – haben Sie schon viel Geld verdient? Gerda und ich, wir wollten immer schon eine Weltreise machen.»

Ich ließ fünf meiner Bewunderer einzeln zu mir kommen – und alle kamen, leise, schüchtern, mit fleckiger Gesichtsfarbe – und unterhielt mich mit ihnen. Drei kamen nicht in Frage, zwei akzeptierte ich zögernd. Ein zwanzigjähriges Mädchen namens Gina, reizlos, aber fleißig, und einen neunzehnjährigen Jungen, Paul. Dazu schickte mir van Rode unerwartet einen dritten, und zwar einen beredten, wenig sympathischen, aber begabten jungen Mann, der bisher auf der Straße ahnungslose Passanten mit verbotenen Nußschalenspielen um ihr Geld gebracht hatte. Er gefiel mir nicht, aber er erinnerte mich entfernt an mich selbst, und so engagierte ich ihn. Alle drei schienen mir tauglich.

Ich versuchte, ihnen begreiflich zu machen, worum es ging. Sie übten ihre Schritte und Bewegungen ein und gaben sich so viel Mühe, wie sie konnten. Die Proben fanden auf der Bühne statt, vor der eisigen Stille des leeren Zuschauerraums, beobachtet nur von zwei rauchenden Beleuchtern. Es war schön zu sehen, wie mein Konzept in die Wirklichkeit trat und sich ohne Bruchlinien oder Spalten darin einfügte. Ja, es würde gelingen! Und dann war es soweit.

Ich betrat die Bühne ohne Musik oder Trommelgeräusche und im klaren und ruhigen Licht der Scheinwerfer. Hinter mir floß ein Vorhang aus schwarzem Samt; der Luftzug schlug kleine Wellen darauf. Ich war einfach gekleidet, beinahe nachlässig. Ich verbeugte mich nicht. Statt dessen hob ich eine Hand, schnippte mit den Fingern, und für eine knappe, kurze, unendlich lange Sekunde war ich von spitzen blauen Flammen umgeben.

Jemand schrie leise auf; gedämpfte Schreckenslaute sprangen durch die Reihen. Ich mußte lächeln. Es fing gut an.

Ja, ich hatte sie in der Hand. Die Reaktion des Publikums war die Unbekannte in der Gleichung gewesen, jene Größe, die man nicht von Anfang an besitzt, die man aber durch die Unerbittlichkeit der Rechnung fassen und bestimmen kann. Sie klatschten, wo mein Plan ihnen befahl zu klatschen, sie schrien, wo er sie zum Schreien, und schwiegen, wo er sie zum Schweigen aufforderte. Als ich einen freundlichen und etwas verlegenen dicken Herrn auf die Bühne bat, ihn mit einer Handbewegung in eine weiße Feuersäule verwandelte und danach nicht wiedererscheinen ließ, begegnete ich eine Viertelstunde lang nur noch beklommenem Schweigen. Genau wie erwartet.

Wenn ich mich darauf konzentrierte, konnte ich hören, wie meine Helfer sich leise und vorsichtig hinter mir bewegten. Hätte ich scharf hingesehen – aber natürlich tat ich das nicht –, hätte ich schemenhaft und unwirklich ihre Umrisse erkannt; aber ich wußte, niemand im Publikum konnte das. Zwischen mir und den Zuschauern kreuzten sich die Lichtbahnen mehrerer Scheinwerfer und legten einen diffusen Lichtnebel vor die Bühne. Meine Helfer waren von Kopf bis Fuß in den gleichen schwarzen Samt gekleidet, aus dem der Vorhang, der stets sanft bewegte Vorhang bestand; sie trugen sogar Handschuhe und Brillen und Gesichtsmasken. Von unten waren sie so unsichtbar wie Gedanken oder Engel. Das ist übrigens ein altes Prinzip, es liegt dem berühmten schwarzen Kabinett zugrunde, doch es ist immer wieder überraschend und wirkungsvoll. Sogar für jemanden, der es kennt und durchschaut, behält die Illusion ihre Schönheit, ähnlich wie bei den alten Gottesbeweisen.

Als ich die Zuschauer – sie alle, jeden einzelnen – aufforderte, an eine Zahl zu denken, sie ein paar einfache Berechnungen damit anstellen ließ und dann die Zahl nannte – eine einzige Zahl und die Zahl aller Menschen im Saal –, schlug das Staunen zum ersten Mal in Lärm um: Laute der Überraschung, erschrockenes Husten, Flüstern, irgendwo sogar ein Schluchzen. Als ein lautloser Kugelblitz aus den Tiefen des Zuschauerraums über die Köpfe hinweg in meine Hände rollte und dort zu einer spiegelnden Glaskugel gefror, mußte ich kurz unterbrechen und abwarten – doch nicht länger als vorgesehen –, bis ich weitermachen konnte. Gegen Ende der Vorstellung wuchs der Applaus ins Bedrohliche; mir schien beinahe etwas Aggressives, ja Wütendes darin fühlbar. Nach dem Schlußeffekt, der Verwandlung eines starren Holzstabs in eine dicke und bewegliche Schlange (ein Plagiat, ich gebe es zu), stürzte ein nahezu entsetzlicher Donner an Geschrei, Klatschen und Jubel auf mich herab. Ich stand eine halbe Stunde lang da, und von Zeit zu Zeit verbeugte ich mich. Meine Helfer verbeugten sich auch, aber da sie in Tarnkostümen steckten, sah es niemand; ich hatte ihnen streng verboten, in Erscheinung zu treten. Nicht aus Eitelkeit, sondern um den Schein zu wahren – die einzige moralische Pflicht, die ein Magier hat. Ein Zauberer darf keine Mitarbeiter haben, oder er gesteht, daß er ein Schwindler ist und ein Schauspieler. Kann man sich Merlin mit einem Assistententeam vorstellen?

Hinter der Bühne stolperte Wellroth auf mich zu und

umarmte mich stumm. Ich schüttelte ihn ab und ging in meine Garderobe. Noch während ich mir die fette, bräunliche Erdnußbutterschminke aus dem Gesicht wischte, polterten die ersten Gratulanten herein. Unbekannte, Heere von Unbekannten, und alle erwarteten, von mir gekannt zu sein. Plötzlich standen, in fatamorganahaft irritierender Eintracht, Reggeweg und Raspowitz vor mir, meine ehemaligen Versucher aus den Niederungen. Sie schienen miteinander hergereist zu sein (woher kannten sie sich?), extra um meine Vorstellung zu sehen. Während der eine mir ergriffen und schweigend die Hand drückte, versuchte der andere, mir etwas über das *Chez Janine* und einen drohenden Bankrott zu erzählen. Aber da wurden sie schon beide abgedrängt und tauchten nicht mehr auf. Ein Fotograf riß in nächster Nähe eine Kamera hoch und drückte ab; der Blitz brannte mir in den Augen.

Als ich wieder klar sehen konnte, stand Pater Fassbinder vor mir. Größer und schmaler als früher, in einem schwarzen Anzug, eine dunkle Brille vor dem Gesicht.

«Das war ganz gut», sagte er, «wirklich nicht schlecht.»

«Danke», sagte ich. «Ich möchte nicht unhöflich sein, aber ...»

«Ich weiß, ich bin blind. Nett, daß du mich erinnerst. Also: Was ich mitbekommen habe, hat mir gefallen. Mag sein, daß es nicht viel war. Vielleicht wollte ich nur etwas Nettes sagen.»

«Bist du extra wegen mir ...?»

«Ach woher denn! Ich hatte in der Nähe zu tun. Und da dachte ich, ich kann mir genausogut noch das hier ansehen ... anhören ... wie auch immer!»

Jemand zog mich am Ärmel und versuchte, etwas in mein Ohr zu murmeln; ich beachtete ihn nicht. Irgendwo entkorkte Wellroth eine Sektflasche; ein Glas fiel zu Boden und zersprang mit einem hellen Klirren.

«Ich habe von deinem Mißgeschick gelesen», sagte ich zögernd. «Tut mir wirklich leid.»

«Warum?» fragte er. Er war im Gespräch für ein Bischofsamt gewesen; sein Name war zwei oder drei Wochen lang durch die Schlagzeilen der Kirchenblätter geirrt und dann verschwunden. Ein anderer war es geworden. «Warum? Auch bei uns geht es ungerecht zu, hat dich das überrascht? Aber das ist unwichtig. Wir können es uns leisten, ungerecht zu sein. Nur wir.» Er lächelte kurz, und ich wußte nicht recht, was ich sagen sollte.

«Und?» fragte er. «Das hier gefällt dir also besser? Das war es, was du wolltest?»

«Ja», sagte ich, «ich glaube schon. Vielleicht.»

«Wie du meinst. Trotzdem habe ich das Gefühl, daß du dir etwas einredest. Arthur, das hier ist eine Show. Eine Theatervorstellung. Unterhaltung für zahlende Bürger. Kann sein, daß es sehr gut ist, aber mehr ist es nicht.»

«Doch», sagte ich. «O doch! Es ist mehr. Es ist etwas anderes!»

Hinter mir warf jemand eine Handvoll Konfetti in die Luft; überall um mich herum schneite es bunte Papierflocken. Wellroth rief etwas. Ein schwitzender Mann mit einer Fernsehkamera auf der Schulter arbeitete sich auf mich zu.

«Schön», sagte Pater Fassbinder. «Es ist nicht meine Pflicht, deine Illusionen zu zerstören. Jetzt nicht mehr. Ich wünsche dir alles Gute. Ich wünsche es dir wirklich.»

«Danke», sagte ich, «vielen Dank. Ich hoffe, wir seh...
– begegnen uns wieder.»

«Ich weiß nicht», sagte er. «Ich würde nicht darauf wetten.» Er machte eine kleine Handbewegung, und ein junger Mann, der schüchtern und priesterlich aussah, faßte ihn am Arm. Er mußte schon die ganze Zeit neben uns gestanden haben, aber ich hatte ihn nicht bemerkt. Es war wohl ein Novize, ein Student, vielleicht auch ein untergeordneter Schutzengel. Die beiden drehten sich um, gingen vorsichtig, in kleinen Schritten, davon, und die Menge schloß sich um sie. Sekunden später starrte ich in das dunkelgraue Spiegelauge der Fernsehkamera.

«Arthur!» rief ein atemloser Mann. «Darf doch Arthur sagen, ja? Was haben Sie jetzt vor?»

Ich sah ihn an, dann die Kamera, dann wieder ihn. Es gelang mir zu lächeln. «Vor allem eines», sagte ich. «Keine Interviews mehr zu geben. Ihnen nicht und keinem anderen. Nie mehr.» Ich nickte ihm zu und ging. Die Leute vor mir traten zur Seite, niemand stand mir im Weg, niemand berührte mich. An der Tür wollte Wellroth mich aufhalten, aber ich, aus Zerstreutheit noch immer lächelnd, sah ihn an, und er trat zurück und ließ mich vorbei. Auf der Straße war es kühl, die Sterne leuchteten fern und unbeteiligt. Der Fernsehturm glitzerte spitz. Zehn Minuten später war ich daheim.

Am nächsten Tag prangte ein Foto von mir, ein und dasselbe, auf den Titelblättern von zwei bunten, teuren, vielgelesenen Illustrierten. Es war ein schlechtes und falsch belichtetes Bild, ich war blaß und grinste hilflos. *Hokuspokus* war die eine Überschrift, *Magic Beerholm* die andere.

Ich stand im Geschäft, gierig gemustert vom Inhaber und zwei Zigarettenkäufern, und betrachtete mein erschreckend vervielfältigtes Gesicht mit einer Mischung aus Ekel und Mitleid. Es würde gekauft werden, heimgetragen, tausendfach berührt von feuchten Blätterfingern, zerknittert, weggeworfen, zum Einwickelstoff erniedrigt für Fisch, Fleisch, Kopfsalat. *Hokuspokus. Magic Beerholm.* Ein feiner, süßlicher Wunsch nach Mord berührte mich; die Menschen, die diese Schlagzeilen erfunden hatten, hätte ich gerne sterben gesehen. Und zugleich wollte ich weit weg sein, unsichtbar, nie geboren. Ich ging hinaus, ohne etwas gekauft zu haben, nicht einmal die Zigaretten, für die ich gekommen war. Zu Hause wartete die Post, darin, säuberlich und in Farbe kopiert, beide Titelblätter samt den Artikeln, gesandt vom aufmerksamen Wellroth. Ich zerriß sie langsam und nachdenklich in zwanzig, hundert, fünfhundert kleine Fetzen, öffnete das Fenster und warf sie hinaus. Der Wind faßte sie, hob sie auf und trug sie dem Fernsehturm zu.

Das Telefon läutete in kurzen, immer kürzeren Abständen. Reporter wollten Interviews; ich verweigerte sie. Ein stellungsloser Schauspieler wollte Arbeit; ich hatte keine. Ein Betrunkener wollte Geld; ich versprach ihm welches. Eine Frau wollte mich heiraten; ich lehnte höflich ab. Ein Verwirrter wollte mir etwas vorsingen – das war der letzte Anruf, den ich entgegennahm. Danach zog ich den Stecker aus der Wand, ging in mein Arbeitszimmer und sperrte mich ein.

Aber es dauerte nicht lange. Nach kaum einer halben Stunde schrillte die Türklingel. Ich wartete und hoffte, aber es läutete wieder und wieder. Wer immer da draußen stand, er wollte nicht aufgeben. Ich rief eine Verwünschung, faßte mich ins Unabänderliche und öffnete.

Es war bloß Wellroth. «Wieso», fragte er, «gehen Sie nicht ans Telefon? Na ist ja egal. Haben Sie die Zeitungen gelesen? Wir haben es geschafft!»

«Können Sie mir erklären, warum sich alle Idioten der Welt zusammengetan haben? Diese Überschriften ...! Die Leute ...! Wenn Sie wüßten, was für Anrufe ... – Was soll das alles?»

«Der Ruhm!» sagte er strahlend. «Verehrter Meister, was ist Ruhm? Ruhm ist, wenn ...»

«Wellroth», sagte ich, «werden Sie mir gegenüber nie aphoristisch!»

Er wandte sich ab, zog ein Taschentuch und begann beleidigt, seine Brille zu putzen. Nach einem kurzen und vorwurfsvollen Schweigen räusperte er sich.

«Ich habe ein Angebot. Ein sensationelles. Der größte europäische Tourneeveranstalter will uns. Dabei nimmt er sonst nur Boxer und Schlagersänger. Phantastische Konditionen. Ein Glücksfall! Aber wir müssen sofort zusagen, solange wir so hoch im Kurs stehen ...»

«Dann sagen Sie zu!»

Er setzte die Brille auf, sah mich an und schüttelte traurig den Kopf, weil ich nicht begeistert aussah. «Gut», sagte er, seufzte tief und wiederholte: «Gut! Ich werde verhandeln.» Dann seufzte er noch einmal und ging.

Und nur einen Monat später – etwas mehr vielleicht oder auch etwas weniger, aber ist das wichtig? – reisten wir ab. Ich, Wellroth, meine drei Helfer und zwei mittlerweile eingeschulte Beleuchter. Du nicht, du hattest zu tun, angeblich etwas Wichtiges – ich vergesse immer wieder: Du hast einen eigenen Beruf, eigene Zeit, ein eigenes Leben.

Es wurde eine lange Reise, mühsam, fruchtlos und ruhmreich. Ich kam in die Großstädte und in mittelgroße, triste Provinzflecken. Wo immer ich hinkam, vergilbten schon Plakate mit meinem Namen an den Hauswänden; mit der Zeit schien es mir, als ob die ganze Erde mit ihnen bekleistert wäre, und ich begann, mich allgegenwärtig zu fühlen. Ich kam durch das ganze alte Europa, aber ich sah wenig davon. Bloß Straßen, Bühnen, Hotelzimmer – übrigens stets erstklassig; groß, unberührt und sauber, als wäre ich ihr erster Bewohner. Das Publikum schien im Wesentlichen überall gleich: laut, erstaunt, täuschbar und begeistert. An Sehenswürdigkeiten erinnere ich mich nicht; allenfalls, wenn ich mich sehr bemühe, an verschiedene bläuliche Schattierungen des Mondlichtes an verschiedenen Zimmerdecken, angestarrt in langen, schlafarmen Nächten. Sollte ich noch einmal auf die Welt kommen (aber nur Inder und Idioten glauben das), werde ich wohl Chemiker werden und meine Zeit der Entwicklung einer Substanz widmen, deren einschläfernde Kraft über die Jahre nicht abnimmt; denn bislang gibt es das nicht, sie alle versagen mit der Zeit.

Daß ich jetzt wieder reich war (wie reich kann ich nicht sagen, dafür war Wellroth zuständig), machte mir keine besondere Freude; ich empfand es immer noch, und gegen alle Vernunft, als den normalen Zustand und meine vorübergegangene Armut als ein unsinniges Zwischenspiel. Immerhin konnte ich jetzt zwei Dinge tun: Jan und Gerda van Rode auf eine Weltreise schicken und meine *Enzyklopädie der täuschenden Künste* zurückholen. (Der Antiquar hatte sie schon einem Sammler verkauft, der weigerte sich zunächst, sie herauszugeben. Aber Geld ist ziemlich mächtig.) Also reiste ich durch einander gleichende Orte, wurde immer berühmter und dachte an dich. Hast du meine Briefe noch? Liest du sie manchmal? Hebst du sie auf dem dunklen Grund einer Schublade auf, umwickelt womöglich mit einem Stoffbändchen? Nein, das wohl nicht. Eine Romanleserin alter Schule warst du gottlob nie. Falls du sie je verkaufen möchtest, tu es besser bald! Die Konjunkturen des Ruhms sind kurz und schwer zu berechnen.

Ich dachte eigentlich gar nicht so häufig an dich. Sicher, an einem entfernten, schwer erreichbaren Ort meines Bewußtseins warst du immer gegenwärtig, aber das meiste davon, den großen und hellen Teil, die Hallen und Prunksäle, füllten die täglichen Vorstellungen aus. Oh, es war wunderbar! Wer beschreibt die immer neue Begeisterung am immer neuen Gelingen, an der Brillanz des Plans, an der Exaktheit der Ausführung, an der Schönheit, am Wunder! Was ich da zeigte, war – ich sage es in aller möglichen Demut, die Augen niedergeschlagen, die Hände gefaltet – wirklich sehr gut. Einmal, in Frankreich glaube ich, wurde die Vorstellung im Fernsehen übertragen, sichtbar für eine nicht mehr vorstellbare Millionenmenge, Tausende multipliziert mit Tausenden, und alles Menschen. Es war sehr merkwürdig, meine Bewegungen fühlten sich größer an; es war, als hätte ich einen Strahlenkranz um mich, eine elektrische Aura, die sich hinaus in die Ferne streckte. Über mir schien ein größerer Arthur

Beerholm zu sein, und er breitete sich aus und füllte den weiten, vibrierenden Äther. Ich kann das Fernsehen ja nicht leiden, aber diese Erfahrung war seltsam und bemerkenswert.

Folgendes hatte ich festgelegt: Erstens, keine Gespräche mit Reportern, niemals, unter keinen Umständen. «Sind Sie wahnsinnig?» rief Wellroth. «Das ist unser Ende!» Aber kurz darauf gratulierte er mir schon: «Nicht erreichbar sein, eine tolle Idee! Jeder kann befragt werden, nur nicht die englische Königin, der japanische Kaiser, der Papst und Sie. Macht einen Rieseneindruck, wird eine Menge Nachahmer finden! Meinen Sie, man könnte sich das rechtlich schützen lassen?»

Zweitens entschied ich mich, den Ehrenkodex der zylindertragenden Berufs- und Amateurzauberer in einem entscheidenden Punkt zu übertreten. ‹Laß immer durchblicken›, heißt es dort, ‹daß das, was du tust, ein Trick ist, ein Scherz, eine lustige Dummheit. Behaupte nie, zaubern zu können!› Daran hielt ich mich nicht. Wer ständig zu dem, was er tut, entschuldigend grinst, ist ein Clown, kein Magier. Und außerdem: Ich habe die Grenze zwischen dem Traum- und Alptraumreich meiner Phantasie und der Wirklichkeit, der sogenannten, immer bemerkenswert durchlässig gefunden. Ich bin nicht imstande, Unterscheidungen zu machen, wo ich keine Unterschiede sehe oder nur höchst unverläßliche. – Natürlich hatte das Folgen. Einige brillentragende Besserwisser gaben sich als Rationalisten (als ob ich nicht mehr Rationalist wäre als ihr alle zusammen!), vereinigten sich und bezichtigten mich in wütenden, druckfehlerreichen Artikeln des Betrugs und des Schwindels. Der eine oder andere Profizauberer ernannte sich zum Volksaufklärer (so Thomas Brewey, jawohl er selbst, der mich einen Scharlatan nannte, und zwar einen gefährlichen Scharlatan) und enthüllte auf fotogeschmücktem Hochglanzpapier die Geheimnisse hinter meinen Kunststücken. Und diese Lösungen waren immer so lächerlich, so hilflos und unwahrscheinlich, daß sich wohl zwischen Himmel und Erde niemand fand, den sie überzeugten. Am Ende ging mein Ruf aus diesen amüsanten Querelen eher gestärkt hervor. Gerüchten zufolge – aber glauben wir sie nicht zu schnell – geschah es in manchen ländlichen und verlassenen Gegenden, daß mein Name mit denen einiger gefürchteter, angstumwitterter Sagengestalten verfloß; angeblich tauchte ich da und dort in den Gutenachtgeschichten auf, mit denen Mütter ihre fernsehgestählten Kinder zu bändigen versuchten. Es passierte mir sogar immer wieder, daß ich bei Menschen, denen ich vorgestellt wurde, eine unklare und verschwommene Furcht wahrnahm, ein Phänomen, das mir nur selten – so bei meiner märchenhaft bösen Stiefmutter – eine unschöne Freude machte. Einmal, an einem fernen, blassen Ort, konstituierte sich ein Verein von fünf oder sechs Irren, die mich für einen Boten des Himmels oder (hier herrschte Uneinigkeit) des Nirvana hielten. Sie schrieben mir etwa zweihundert meist im Gebetston verfaßte Briefe, von denen ich manche mit einem gewissen Interesse las. Als sie sahen, daß sie keinen Erfolg hatten, verfluchten sie mich formell und wandten sich einem portugiesischen Propheten zu, dem der Anblick eines UFOs dunkle Erleuchtungen gewährt hatte.

Dieser zweite Grundsatz war jedenfalls schuld daran, daß der Magische Zirkel und andere Zauberergewerkschaften plötzlich heftigen Widerwillen gegen mich empfanden. Was mich nicht störte, da ich einen dritten hatte, der es mir verbot, Kontakt mit irgendeinem der offiziellen Vereine aufzunehmen; ich war weder Mitglied noch assoziiertes Mitglied noch Anwärter. Der Besuch damals vor fast drei Jahren war mein einziger geblieben, ich hatte nie das Bedürfnis nach einem zweiten gehabt. Ein gewisser Kinsly, der Präsident der *International Brotherhood of Magicians* schrieb mir mehrere Briefe, zunächst freundliche, dann drohende. Als ich schließlich noch immer nicht beigetreten war, griff er zum Schlimmsten und informierte alle Mitglieder seines Vereins in einem mehrsprachigen Aufruf, daß sie mich nicht als Kollegen betrachten, keine Geheimnisse an mich weitergeben und mich in jeder möglichen Weise ignorieren sollten. Wellroth sorgte dafür, daß Zitate daraus an möglichst vielen Orten abgedruckt wurden. Er hielt das für eine exzellente Werbung.

X

«Möchten Sie noch ein Glas? Übrigens großartig, wirklich großartig! Ich war ja *so* beeindruckt!»

Ich nickte, nahm eines der Sektgläser, warf einen Blick auf die matt funkelnde Flüssigkeit darin, trank und stellte es zurück. Meine Gastgeberin, blond und rubinbehängt, stand noch immer vor mir.

«Danke», murmelte ich, «vielen Dank. Das freut mich.»

Sie sah mich an, zeigte ein breites Lächeln und fand nichts mehr zu sagen. Dann wackelte sie entschuldigend mit dem Kopf, lachte leise und steuerte auf eine Gruppe älterer Herren zu, dunkelgekleidet, einige mit Orden. Sie sahen wie Diplomaten aus, und vermutlich waren sie auch welche. Ich blieb allein, endlich. Und neben mir standen noch fünf Gläser, gefüllt und unbeachtet. Ich griff nach dem ersten.

«Das war interessant, Herr Beerholm. Eine sehr beeindruckende Darbietung.»

Ich sah mich irritiert um. Neben mir stand ein Mann mit hohlen Wangen, einem langen, schwach zitternden Schnurrbart und einem auffällig runden Muttermal auf der Wange. Er hatte kleine stechende Augen und ein Dozentengesicht.

«Sie verraten mir nicht, wie Sie das machen, oder?» Er begegnete meinem Blick und fügte schnell hinzu: «Nein, natürlich nicht! Recht so. Ich will es gar nicht wissen.» Er nickte entschlossen, als ob er etwas Bedeutendes gesagt hätte, faltete seine Hände auf dem Rücken und schlenderte davon. Ich sah ihm mit sanftem Abscheu nach und nahm das nächste Glas.

Ich wußte nicht genau, wo ich war. Ich kannte niemand von diesen Leuten, ich hatte keine Ahnung, wer sie waren und warum sie so würdevoll aussahen. Aus einem mir unbekannten Grund waren sie hier zusammengekommen, um etwas zu feiern, von dem ich nichts wußte. Aber sie hatten mich engagiert, und sie bezahlten sehr gut. Außerdem, und das war das Entscheidende, trat außer mir noch José Alvaraz auf, der vielleicht beste Entfesselungskünstler der Welt. Eigentlich war ich seinetwegen hier.

Ich unterdrückte ein Gähnen und tastete nach dem nächsten Glas. Auf dem Boden, unter den vielen polierten Schuhen, streckte sich ein kompliziert geflochtenes Muster über den Teppich. Ich sah auf, über mir strahlte ein Kristalluster. Ich blinzelte, und er verschwamm zu einem unscharfen goldenen Fleck.

«War nicht schlecht, Berrholm! Nein, gar nicht übel!»

Ich erschrak und rieb mir die Augen. José Alvaraz stand vor mir.

«Sie waren aber auch ganz gut», sagte ich zögernd. Wir hatten uns vor zwei Stunden flüchtig begrüßt, aber noch kein einziges Wort gewechselt. Seine Vorführung hatte mich wirklich beeindruckt. Er war nach mir an der Reihe gewesen, hatte sich mit Ketten umwickeln lassen, war in einen dickwandigen Holzsarg gelegt worden, und diesen hatte man mit vereinten Kräften zugenagelt. Jeder Gast hatte selbst einen Nagel einschlagen dürfen, auf Wunsch (und einige wünschten es wirklich) auch mehrere. Und dann, ein paar Sekunden später, war der Sarg aufgesprungen, die Nägel waren abgefallen, und Alvaraz war herausgestiegen, ungefesselt, mit leicht gelangweilter Miene und einer rauchenden Zigarre im Mund. Jetzt, aus der Nähe, sah er viel kleiner und dünner aus.

«Sie sprechen meine Sprache?»

«Muß ich, Berrholm. Wegen Fachliteratur. Alle wichtigen Sprachen. Alles muß lesen können, was über Schlösser geschrieben wird. Viel geschrieben.» Er kniff beide Augen zu, und zwar so fest, daß sich seine Wangen in Falten legten und sich zwei Reihen gefletschter Zähne entblößten. Ich sah ihn besorgt an. Eine Minute später machte er es wieder, und ich verstand: Es war eine Art nervöser Krampf. Jetzt bemerkte ich auch, daß seine rechte Hand ständig über seine linke glitt, als ob er versuchte, seine Finger zu zählen.

«Möchten Sie eine Zigarette?»

«Danke. Rauche nicht. Nur beim Auftreten, nicht privat. Kann mir so was nicht leisten. Muß ich in guter Form sein. Trinke auch nicht. Vorgestern von einem Hochhaus gehängt, gefesselt an Füßen. Zwangsjacke. Sie wissen, Berrholm, was passiert mit mir, wenn nicht gut in Form?»

«Ich glaube, ich kann es mir vorstellen», sagte ich, suchte nach meinem Feuerzeug und zündete mir eine Zigarette an. Irgendwo mußte doch noch ein Glas ... – ach hier.

«Ich bewundere Sie sehr», sagte ich, «und schon lange.

Wissen Sie, Ihre Eleganz und Leichtigkeit, ich glaube, das macht Ihnen niemand ...»

«Leichtigkeit!» Er gab einen Nilpferdlaut von sich, der wohl ein Schnaufen sein sollte. «Es ist nicht leicht, zum Teufel! Platzangst in der verdammten Kiste, keine Luft. Meist sie lasse ich noch ins Wasser werfen. Früher oder später ein verdammter ... ein verdammter Dreckskerl von Schlosser wird Schloß machen, wo ich nicht mehr aufkriege.» Er sah mich an. «Dann, Berrholm, sterbe ich.»

«Beerholm», sagte ich, «langes E, kurzes R. So etwas dürfen Sie nicht sagen.»

«Warum nicht. Nur realistisch. Kann ich nicht immer Glück haben. Früher bloß fesseln, nichts Gefährliches, aber Leute wollen mehr. Zu viel Kino. Ist nur die Wahl, blamieren oder sterben. Muß wohl sterben. Gefesselt von Idioten, welche zahlen dafür.»

«Warum hören Sie dann nicht auf?»

«Aufhören? Kann nichts anderes.»

«Sie könnten», schlug ich vor. «Schlosser werden ...»

Er zwinkerte und starrte mich wütend an. «Schlosser! Ich bin José Alvaraz, hören Sie! Schlosser ...!»

«Entschuldigen Sie», sagte eine dünne Stimme. «Kann ich von Ihnen bitte Autogramme bekommen?» Es war ein Mädchen, fünfzehn Jahre vielleicht, nicht sehr hübsch, aber teuer angezogen. Ich nahm den Block, den sie mir entgegenstreckte, und schrieb in großen, runden Buchstaben *Alvaraz* darauf. Dann reichte ich ihn an José weiter, der malte ein kleines, schwer lesbares *Beerholm* darunter und gab der Kleinen ihren Block zurück. Sie murmelte «Danke schön!» und ging davon.

«Wie haben Sie eigentlich angefangen?» fragte ich. «Ich meine: Warum ausgerechnet Entfesselungen?»

«Gab mal eine Zeit, wo ich toll fand, überall herauskommen. Lange her. Schöne Frau, Berrholm! Ihre?» Er zeigte mit einer Kopfbewegung auf dich; du standest am anderen Ende des Raumes, an die Wand gelehnt, gekleidet in ein geblümtes Kleid, im Gespräch mit zwei bleichen jungen Damen, die ich nicht kannte.

«Ja», sagte ich, «gewissermaßen. Beerholm, langes *E*.»

Alvaraz zwinkerte und gähnte zugleich, ein fast furcht-erregender Anblick. «So! Ich werde heimgehen besser. Ins Bett. Es ist wichtig …»

«… daß Sie in guter Form sind?»

Er sah mich mißtrauisch an, nickte und streckte eine kleine, knochige Hand aus. «Ja. Guten Abend, Berrholm. Interessant gewesen, zu treffen Sie. Weiß nicht, warum alle sagen, Sie verrückt. Habe ich nichts gemerkt.»

«War mir ein Vergnügen», sagte ich etwas hölzern; wir schüttelten uns die Hände, er schlurfte zum Ausgang und verschwand. Ich fand noch ein Glas, das letzte. Ich fühlte einen leichten Schauer und ein sanftes, kaum unangeneh-mes Schwindelgefühl – etwa so, als ob ein Seidentuch über meine Nerven strich.

Die Gastgeberin (sie war es doch? aber ja; und vielleicht auch nicht; sie sahen sich alle so ähnlich) kam auf mich zu, und mit ihr ein grauhaariger Herr mit hochgewölbten Augenbrauen und einer hektisch glitzernden Krawatten-nadel.

«Erlauben Sie, daß ich Ihnen vorstelle …» Sie tat es. Der Name kam mir bekannt vor; er klang wie ein Echo aus den Wirtschaftsnachrichten oder sonst etwas Langweiligem. Hinter mir stand plötzlich ein Marmortischchen; ich legte die Hände fest auf seine Platte. Sie fühlte sich kühl und fest an, aber das war trügerisch. Das Tischchen wich erschrocken zurück.

Der Herr sagte etwas von Freude und Kennenlernen. Ich betrachtete ihn irritiert; seine Krawattennadel verwirrte mich. Kein Glas mehr da? Kein Glas mehr da. Es war heiß. Was sagte er?

«... mir vielleicht etwas vorführen? Einen Trick? Bitte!» Er spitzte die Lippen und lächelte erwartungsvoll.

Um Gottes willen, das war doch nicht sein Ernst! Was glaubte er denn ...! Ich setzte zu einem entrüsteten Kopfschütteln an und zu einer scharfen Antwort ... –

Da passierte etwas. Ich wußte nicht, was. Plötzlich spürte ich eine eigenartige Sicherheit.

«Denken Sie sich eine Zahl!» sagte ich. «Irgendeine.»

Er schlug die Augen zur Decke, legte seine Stirn in Falten, strengte sich an und brachte es tatsächlich zustande. «Ja», sagte er, «ich habe eine.»

«Achtundzwanzig», sagte ich.

Er trat einen Schritt zurück, und sein Unterkiefer senkte sich der Brust entgegen. «Mein Gott», sagte er leise.

«Noch einmal?» fragte ich. «Eine andere Zahl bitte!»

Er nickte.

«Zweihundertvierzehn. Noch einmal?»

Er sah mich an und atmete schwer. «Nein», sagte er, «nein danke.» Er drehte sich wortlos um und ging mit kurzen, steifen Schritten davon.

«Das war aber gut!» lächelte die Gastgeberin. «Wie haben Sie denn das gemacht?»

Ich sah sie an. Heben Sie den Arm, dachte ich, und streichen Sie sich über den Kopf. Und lassen Sie das Glas fallen.

«Wirklich beeindruckend», sagte sie und fuhr sich mit der Hand durch die Haare. «Wissen Sie, mein Neffe hat neulich einen Zauberkasten bekommen. Er ist gerade zwölf geworden und – oh wie ungeschickt von mir ...!»

Da stand sie mit zerstörter Frisur und sah verwirrt auf die Scherben hinunter und den Champagner, wie er über den Teppich rann und aufgesogen wurde. «Macht nichts, kann man reinigen. Kann man alles reinigen. Also mein Neffe ...»

Der dünne Mann mit dem Muttermal, sehr würdevoll noch immer und sehr ernst, ging gerade dem Buffet entgegen. Ich sah ihm nachdenklich zu. «... aber er hat mit seinem Kasten gewisse Schwierigkeiten. Denken Sie sich, er sagt zum Beispiel ...» Eine Frau schrie auf, jemand rief etwas. Leute liefen zusammen und bückten sich. Der Mann mit dem Muttermal stand vom Boden auf und rieb sich den Rücken. Er war ein wenig bleich. «Nichts passiert», sagte er, «nichts passiert!»

«... und dann hat er uns einen ganz *reizenden* kleinen Trick vorgeführt, wissen Sie, er kann das wirklich gut ...»

«Entschuldigen Sie bitte!» sagte ich und ging. Ich fühlte ihren entgeisterten Blick, aber das war mir gleichgültig. Ich stieg eine Treppe hinunter, kam durch einen marmorgetäfelten Vorraum und stand auf der Straße. Zwei Dinge hatte ich nicht dabei: Meinen Mantel – teures

Kamelhaar; er blieb in der Garderobe, und ich habe ihn nie wiedergesehen – und dich. Du hast es mir furchtbar übelgenommen, und mit Recht. Einfach ohne dich wegzugehen, das war sehr unhöflich, nicht wahr? Aber wie hätte ich es dir erklären sollen? Hättest du mir geglaubt? Ja, vielleicht hättest du. Aber eigentlich, entschuldige, warst selbst du mir egal.

Draußen war es dunkel und kühl. Es mußte geregnet haben, denn die Straße war feucht, und die Laternen spiegelten sich schimmernd in den Pfützen. Der Himmel war schwarz bewölkt; ich hätte gerne den Mond gesehen – es hätte mich beruhigt –, aber er war nicht da. Ich spürte, daß meine Hände zitterten, mein Herz klopfte laut und schnell. Ich schob die Hände in die Hosentaschen und ging los. Welche Stadt war das eigentlich? Ach, egal. Wer zuviel reist, verliert den Überblick. Zumal sie sich alle ähnlich sehen.

Schon nach ein paar Schritten bereute ich, daß ich weggegangen war. Dort waren immerhin Menschen, hier war ich allein. Ich blieb stehen.

Gegenüber, auf der anderen Straßenseite, war ein großes Schaufenster, quadratisch und beleuchtet. Eine gut angezogene Puppe hielt eine Krokodiltasche in der Hand und blickte starr zu mir hinüber. In der Ferne schlenderte ein Mann vorbei und verschwand in der Dunkelheit. Ich schluckte. Mein Herz hämmerte in Trommelwirbelstärke; ich lehnte mich an die Hauswand hinter mir, sie schien unter meiner Berührung zu vibrieren. Die Puppe sah mich an, ich sah die Puppe an. Also gut. Ich zog die rechte Hand aus der Tasche, betrachtete sie und machte dann eine kleine und schnelle Bewegung in die Richtung des Schaufensters, nur ein schnelles Ausstrecken der Finger, kaum ein Winken.

Das Glas zersprang mit einem schrillen, singenden Ton; sekundenlang prasselten Scherben auf den Gehsteig. Langsam, sehr langsam, als ob sie einen Widerstand zu überwinden hätte, neigte sich die Puppe vornüber, verlor endlich den Halt, fiel ... – und schlug mit einem dumpfen Geräusch auf den Asphalt. Die Tasche glitt ihr aus der Hand, schlitterte über den Boden und auf die Straße.

Einen langen, unendlich langen, ewig langen Augenblick geschah nichts. Überhaupt nichts. Die Welt hatte angehalten, die Zeit stand. Dann, mit einem hellen elektrischen Klicken, schaltete sich eine Alarmanlage ein. Ein künstliches Jaulen schwoll an, schwoll ab, schwoll an, hallte weit über die leere Straße. Die plötzlich nicht mehr leere Straße. Autos fuhren vorbei, Leute sahen aus Fenstern, eine Gruppe gesichtsloser Spaziergänger tauchte auf, in der Ferne antwortete eine Polizeisirene. Ich brachte es fertig, weiterzugehen. Ich setzte einen Fuß vor den anderen, immer wieder, ich weiß nicht wie oft, bis ich das Alarmjaulen nur noch sehr leise hörte und von sehr weit weg.

Dann fiel mir auf, daß um mich keine Häuser mehr waren, sondern Bäume. Schmale, blattlose, krumme Bäume und auch ein paar löchrige Büsche. Das hier mußte ein Park sein, ein ärmliches Stück Natur, wo tagsüber Hunde ihren Darm entleerten und Greisinnen Vögel fütterten. Unter meinen Füßen knirschten Kieselsteine.

Ich blieb also stehen. Über mir ragten die Bäume in die

Nachtwolken hinauf; ein Flugzeug malte eine Licht-schleife in den Himmel; in der Ferne glitzerten Straßen-laternen. Ich war allein. Es gab vielleicht im ganzen Son-nensystem niemanden, der so allein war. Ich spürte, wie mir Schweißtropfen über die Stirn liefen. Ich tastete nach meinem Kopf; ich hatte instinktiv das Gefühl, daß meine Haare in die Höhe standen. Aber sie standen nicht, sie la-gen glatt und feucht da. «Ruhig!» sagte ich leise. «Ruhig!» Ich versuchte, mich an etwas Schlichtes und Wahres, et-was Beruhigendes zu erinnern: das Periodensystem der Elemente, das Vaterunser, die Formel zur Lösung quadra-tischer Gleichungen, aber nichts davon, nichts fiel mir ein.

Sollte ich es noch einmal versuchen? Vielleicht war alles ja nur Einbildung gewesen! Sollte ich der Parkbank dort drüben befehlen, umzufallen, sollte ich eine Laterne aus-löschen oder einen der Bäume zerbrechen lassen ...? Nein, ich wagte es nicht. Es würde zu furchtbar sein, wenn es ... – wenn es doch gelang. Und wenn es nicht gelang? Auch das wäre furchtbar. Aber eigentlich war ich sicher, daß es gelingen würde; etwas in mir *wußte*, daß sie alle, Bank, Laterne, Baum, gehorchen würden.

War es trotzdem Zweifel? Oder war es vielmehr, über alle Furcht hinweg, der Wunsch, es noch einmal zu erle-ben? Jedenfalls drehte ich mich plötzlich um. Hinter mir hockte ein niedriger, schlechtgeschnittener Busch mit dür-ren Zweigen und ein paar kunstlos aufgesteckten Blüten. Er sah aus, als ob er hier auf mich gewartet hätte, wer weiß wie lange schon. Ich sah auf ihn hinunter, und dann, auf einmal, fast gegen meinen eigenen Willen und zu meinen hellsten Schrecken, sprach, nein dachte ich einen Befehl.

Und tief innen, zwischen zwei knochigen Zweigen, leuchtete ein Punkt auf. Einen Moment schwebte er dort ganz ruhig, ein kleines weißes Glimmen. Und dann, lautlos und auch merkwürdig langsam, bewegte er sich. Dann war ein zweiter Punkt da, ein dritter, vierter, und schon waren es viele, und der ganze Strauch schien gesprenkelt mit winzigen lebenden Funken. Ein Blatt knisterte, verfärbte sich ins Bräunliche, rollte sich zusammen, zerfiel in Asche; die erste gelbe Flamme leckte an einem Ast, und plötzlich – brannte er. Und dann strahlte der ganze Busch auf; an allen Zweigen tanzten hohe, dünne Flammen, Blätter lösten sich auf, Äste krümmten sich und brachen, und dabei war nur das eigentümlich laute Flüstergeräusch des Feuers zu hören. Der Widerschein legte eine blasse Helligkeit auf den Park und eine Heerschar zittriger, auf und ab springender Schatten. Eine Welle von Hitze schlug mir ins Gesicht, ich sprang zurück und hob die Hände zum Schutz. –

Und da hörte ich einen Schrei. Es mußte in nächster Nähe sein; eine hohe, wenig angenehme Stimme, beschwert von einer entsetzlichen Angst. Und sie kam mir bekannt vor! Erst nach kurzem Überlegen half mir mein Gedächtnis, und ich erkannte sie ... – Ich schloß den Mund, der Schrei hörte auf.

Das Feuer sank schon in sich zusammen, und vom Busch war nicht mehr viel übrig. Ein runder schwarzer Fleck breitete sich aus und wurde größer; kleine Klumpen gelber Glut rollten darüber, blieben liegen, wurden rot und grau und erloschen. Ich mußte weg hier, weg! Mit aller Gewalt, zu der ich fähig war, riß ich mich los. Und rannte.

Und rannte. Häuser zogen vorbei und mehr Häuser; neben mir rollte sich eine Allee von Straßenlaternen ab; Hydranten sprangen mir in den Weg und wichen erst im letzten Moment aus. Mehrmals rempelten mich Leute an, ein Mann schimpfte, eine alte Frau quiekte empört, ein Hund winselte. Einmal hörte ich neben mir Bremsen quietschen und dann, ganz nah, eine Autohupe. Aber ich sah mich nicht um, und ich hielt nicht an.

Das tat ich erst, als ich fühlte, daß ich nicht mehr weiterlaufen konnte. Ich hielt mich an etwas aus Stein fest – als ich genauer hinsah, erkannte ich, daß es der Sockel einer Statue war, eines großen, blasiert blickenden Hellebardenträgers – und versuchte, wieder zu Kräften zu kommen. Ich hörte mich laut, kurz und schnell atmen. Wenn ich die Augen schloß, schien sich der Boden nach hinten zu neigen ...

Ich wartete. Und tatsächlich, es wurde besser. Ich konnte wieder aufrecht stehen, ohne mich anzulehnen, ich konnte atmen, ohne daß der Luft etwas den Weg versperrte, und das lästige Pochen in meinen Schläfen wurde schwächer und hörte auf. Ich sah mich um: Ein schmutziger Mensch saß auf dem Boden, den Kopf an eine Wand gelehnt, und schlief. Ein Auto fuhr vorbei, und noch eins. Ein Mann kam aus einem Hauseingang, bog um eine Ecke und war verschwunden. Der Himmel war immer noch sehr schwarz.

Jetzt erst bemerkte ich das Schild, das den Abgang zur U-Bahn markierte. Ich ließ meinen Steinsockel los und ging darauf zu. Die Rolltreppe funktionierte und trug mich hinunter.

Ein leerer Bahnsteig: eine Kunststoffbank, zwei flachgetretene Coca-Cola-Dosen, ein Fleck einer seltsamen bräunlichen Flüssigkeit auf dem Boden, ein Plakat mit einem riesigen lachenden Jeansträger. Er hatte einen Hut auf und war schlecht rasiert, und hinter ihm lag eine rote, felsige Ebene, weit bis zum Horizont. Viele Zigarettenkippen, klein, verbraucht und zerdrückt. Ich setzte mich.

Die Zeit verging. Nur merkte man nichts davon. Eine beleuchtete Uhr, die an der Wand hing, stand auf einer unmöglichen Stunde, und ihre Zeiger rührten sich nicht. Niemand kam. Kein Mensch, kein Zug.

«He! Sie!» Eine Hand berührte mich, ich schrie auf ... – Zwei Kinder. Jungen, vielleicht zwölf oder dreizehn Jahre alt, großäugig, neugierig, ein wenig schüchtern.

«Könnten wir ... bitte ... ein Autogramm ...?» Ich nickte stumm. Einer von ihnen gab mir ein leicht zerknittertes Stück Papier; ich tastete nach meiner Brusttasche: tatsächlich, dort war ein Kugelschreiber. Ich zog ihn heraus, öffnete ihn, unterschrieb. Zuerst ging es nicht, weil meine Hand zu sehr zitterte, dann malte ich einfach eine verkrümmte Zickzacklinie hin. Sie bedankten sich, nahmen Blatt und Kugelschreiber und gingen. Sekunden später waren sie weg, verschwunden, wie von der Erde eingesogen. Der Bahnsteig war wieder leer. Ich bemerkte, daß sie meinen Kugelschreiber mitgenommen hatten. Und trotz allem: das ärgerte mich.

Noch immer kein Zug. Der Mann auf dem Plakat grinste spöttisch, die Landschaft hinter ihm war fremd und feindlich. Ich sah auf eine der beiden verformten Cola-Dosen; als mein Blick sie berührte, machte sie einen kleinen scheppernden Luftsprung. Ich sah schnell weg und schloß die Augen. Sofort fühlte ich eine Bewegung neben mir; ich starrte hin, aber da war nichts. Mein Hals war zugeschnürt. Ich wäre gern tot gewesen.

Der Zug! Im Dunkel des Schachtes tauchten zwei Lichter auf, wuchsen und schoben einen Schwall abgestandener Luft vor sich her. Der Zug quietschte und hielt, die Türen öffneten sich. Ich stand auf, schleppte mich über den Bahnsteig und stieg ein. Im Waggon saßen eine alte Frau, ein grämlicher Mann, ein schlafender Betrunkener mit einer leeren, nicht ganz leeren Flasche zwischen den Knien. Ich ging auf einen freien Sitz zu und ließ mich hineinfallen. Der Zug setzte sich in Bewegung, die Dunkelheit schloß sich um ihn.

«Sie!» Die alte Frau war aufgestanden und heftete einen starren Schildkrötenblick auf mich. «Sie!»

«Ja?» fragte ich, bemerkte, daß ich geflüstert hatte, und wiederholte, und diesmal mit Stimme: «Ja?»

«Sind Sie nicht …? Sind Sie nicht …? Sind Sie …?»

«Ja», sagte ich, «ich bin es.»

«Ach!» rief sie. Und setzte sich wieder. Und sah aus dem Fenster, in die vorbeifliegende Schwärze hinaus. Die Auskunft hatte ihr offenbar genügt, sie schien mich schon vergessen zu haben. Eine neue Station tauchte auf, die Türen öffneten sich. Aber niemand stieg ein, die Türen gingen zu, es wurde wieder dunkel.

«Was auch immer das hier ist», sagte ich leise, «ich will es nicht. Es soll aufhören! Ich habe nicht darum gebeten, ich habe es nicht verlangt. Bitte nicht!»

Ich sah auf: Über mir schwankte ein schmales, buntes

Plakat mit den Bewegungen des Zuges: eine gelbe Limonadenflasche, und darüber, in fetten Buchstaben: *Das Was Du Willst!*

«Nein», sagte ich, «nein. Oder vielleicht ja, aber jetzt nicht mehr. Jetzt nicht mehr!»

Der Zug hielt, ich stand auf. Die Türen öffneten sich, ich stolperte hinaus. Die alte Frau rief mir etwas nach; ich drehte mich um, aber die Türen waren wieder geschlossen. Der Zug fuhr an, beschleunigte und verschwand in seinem Schacht. Und ließ mich allein. Warum war ich überhaupt ausgestiegen? Wo wollte ich denn hin?

Wieder eine Rolltreppe; die Erde schien voll von Rolltreppen. Sie trug mich aufwärts und setzte mich an einem neuen, dunklen, mäßig bevölkerten Platz ab. Ein junges und unschönes Paar ging vorbei, ein käufliches Mädchen fror unbeachtet vor sich hin, ein Polizist spähte melancholisch in den Himmel hinauf.

Ich weiß, dachte ich, daß ich alles verlieren könnte. Ich weiß, daß ich es so wollte. Aber ich will es nicht mehr. Ich bin dem nicht gewachsen. Ich kann es nicht. Ich will diese Macht nicht. Ich bin nicht Merlin. Ich bin kein Zauberer. Ich habe mich geirrt.

«Sind Sie sich auch klar darüber», fragte der Polizist, «was das bedeutet?»

«Was?» Ich starrte ihn an.

«Sind Sie sich auch klar darüber», wiederholte er mit unbewegtem Gesicht, «was das bedeutet?»

Ich wandte mich ab und wollte rennen, rennen, aber ich hatte keine Kraft mehr dazu. Also ging ich, so schnell es meine schwachen, schmerzenden Beine noch erlaubten.

Dann konnte ich nicht anders – und drehte mich um. Der Polizist sah mir nach. Auch das Mädchen. Und auch das Paar war stehengeblieben. Alle vier blickten mich ausdruckslos an.

Ich stolperte um die nächste scharfe Hauskante und schleppte mich Schritt für Schritt geradeaus weiter. Ich hätte fast alles dafür gegeben, jetzt laufen zu können. Aber ich konnte nicht, ich konnte nicht.

Dann blieb ich stehen. Und trat in die Mitte der Straße, in den weißlichen Neonschein einer Laterne. Sie war sehr grell, einen Moment lang blendete sie mich so stark, daß ich nichts mehr sehen konnte.

«Nein», sagte ich. «Nein! Es bleibt dabei! Ich habe Angst, ich will und kann es nicht! Die Antwort ist nein. Nein.»

Über mir öffnete sich ein Fenster. Eine Stimme, seltsam hoch und klar, sagte: «Wie du willst! Und du wirst sehen, was du davon hast.»

Das Fenster knarrte und schloß sich. Ich sah hinauf, aber ich konnte nichts erkennen, die Lampe war zu hell. Plötzlich fühlte ich, daß etwas auf mich zukam, etwas Großes, Schnelles und Böses. Und im nächsten Moment hörte ich ein Brummen und dann, schrill und quietschend, eine Bremse.

Ich spürte zwei Dinge: eine Berührung, und daß meine Füße nicht mehr auf dem Boden standen. Luft strich an mir vorbei, kühl und angenehm. Ich schwebte, o ja, ich schwebte. Unter mir strich, fern und sanft, der Asphalt dahin. Dann glitt er auf mich zu. Und dann nichts mehr.

XI

Ich hatte ein Einzelzimmer. Das war schwer zu bekommen und kostete ein Vermögen, aber ich war berühmt, und Wellroth war tüchtig. So blieb das Bett neben mir leer, und nachts konnte ich schlafen, ohne daß das Leiden eines anderen mich störte. Es gab einen Fernseher und ein Radio, und an der Wand stand, düster und drohend, eine Gruppe von Geräten, die nach Schläuchen und Schmerz aussahen; aber sie kamen nicht zum Einsatz, nicht an mir.

Mir ging es ganz gut. Gesundheitlich, meine ich. Ein kompliziert gebrochenes Bein, ein primitiv gebrochener Arm, eine mittelschwere Gehirnerschütterung. Ich hatte Glück gehabt. Das sagten alle: Wellroth, die Ärzte, der Oberarzt, ja sogar ein von mystischem Respekt umwehter Professor, der täglich für ein paar Minuten sein Gesicht über mein Bett hielt. Mein Bein steckte in einem dicken Gips, der an einem eisernen Gestell befestigt war; eingegipst war auch mein linker Arm, und um den Hals trug ich eine eisenharte Halskrause. Daß ich mich nicht bewegen konnte, störte mich kaum; ich hatte nicht viel Sehnsucht danach. Außerdem hatte ich ja Glück gehabt und also – so meinten Ärzte, Oberarzt, Professor – kein Recht, mich zu beschweren.

«Von einem Auto frontal erfaßt zu werden», hatte der

Professor gesagt, «und dann bloß … bloß … Sie können dem Himmel danken!»

«Wem?» fragte ich.

«Dem … äh …» Er sah mich unsicher an, wünschte mir gute Besserung, gab der Schwester eine Anweisung, die ich nicht verstehen sollte, und ging hinaus.

Zunächst hatte ich mir – eine Folge der Gehirnerschütterung – keine klare Vorstellung davon machen können, wer ich war und wo und warum. Einige Stunden, einen Tag lang vielleicht, war ich in einem seligen bettwarmen Nirgendwo gewesen, umsorgt von unbekannten Kräften, ohne Vergangenheit, ohne Selbst, ohne Zeit. Dann hatte sich all das wieder eingefunden, leider! Ich war wieder Beerholm, hatte wieder die schrecklichste Nacht hinter mir, war Zauberkünstler, war im Krankenhaus. Ich konnte wenig tun, bloß denken. Ich versuchte die Nacht meines Unfalls zu rekonstruieren, aber es gelang nicht recht. Ich hatte eine Zahl erraten, hatte mich verirrt, ein Schaufenster war zerstört worden, ein Strauch in Brand geraten; wie hing es zusammen?

«Es ist normal», sagte der Oberarzt, «daß Sie sich nicht erinnern. Ein Filmriß.»

«Aber ich muß mich erinnern», sagte ich. Und so ordnete ich die wenigen fiebrigen Bilder, die mein Gedächtnis aufbewahrt hatte, zu jener Folge an. Zu einer Zaubervorstellung, in der ich Publikum gewesen war, nicht Vorführender. Ich fühlte, daß etwas Unwiderrufliches passiert war. Und so nahm die schrecklichste Nacht meines Lebens Gestalt an. Also ist es, höre ich dich fragen, nicht wahr, was du erzählt hast? Nein, was ich erzählt habe, ist nicht wahr. Nicht buchstäblich wenigstens. «Täuschungs-kunst», schrieb Giovanni di Vincentio vor fünf Jahrhunderten, «ist, was man auch behaupten will, die Kunst zu lügen.» Hast du noch immer nicht gewußt, daß ich ein Lügner bin? Aber sei beruhigt, es ist auch wahr. Ich hatte einige Stunden der Verwirrung durchlaufen, ich hatte etwas Großes und Erschreckendes gesehen und zurückgewiesen, ich hatte einen Unfall gehabt, nichts würde mehr sein wie vorher. Das alles ist die Wahrheit. Der Rest ist Ausschmückung, eine Mischung aus Wunsch- und Alptraum. Der Versuch, mein Scheitern in eine Art dämonischen Glanz zu kleiden. Du hast es wirklich geglaubt? Das ehrt mich. Vielleicht bin ich doch ein Magier. Ich wäre es gern gewesen, wenigstens für ein paar Stunden, für eine Nacht.

Wellroth besuchte mich täglich, und van Rode schrieb mir einen netten Brief aus Portugal. Auch du warst ein- oder zweimal da, aber deine Besuche waren kurz und kühl. Du wolltest wissen, warum ich aus der Gesellschaft gerannt und was danach passiert war. Und ich hatte nichts zu antworten. Es war noch zu früh. Jetzt habe ich geantwortet, aber es ist wohl zu spät.

Meine Tournee war unterbrochen, und Wellroth war in dunkler Verzweiflung. Der Verdienstausfall war beträchtlich, die Schlagzeilen ungünstig. Nach der vorherrschenden These, bestätigt durch ungenannte Quellen aus dem Krankenhaus – eine der netten Schwestern spionierte also –, war ich betrunken gewesen und durch einen Alkoholnebel in mein Verhängnis getorkelt. Andere glaubten an seltene und exotische Drogen, wieder andere machten unschöne Andeutungen über meine geistige Verfassung. Eine Überschrift verkündete lächelnd und schlicht: ER IST VERWUNDBAR! Die Tatsache, daß ein einfaches Auto mich hatte verletzen können, löste eine Welle boshafter Erleichterung aus. Der arme Lenker wurde befragt («Plötzlich vor meiner Kühlerhaube … Konnte nichts mehr tun … Verdammt, ich verehre diesen Mann!») und ebenso Wellroth («Mißgeschick … Weg der Besserung … Tournee wird fortgesetzt»). Ich gab natürlich keine Interviews.

Aber all das war egal, es war grenzenlos unwichtig. Sofort nachdem ich die Reste meiner Vergangenheit wiedergefunden hatte, wandte ich mich dem Fenster zu, der kalten und sehr fernen Scheibe, die zwischen mir und der immer noch fremden Stadt lag. – Sie blieb ganz. Kein Riß, nicht der kleinste Sprung, trotz meines mehrfach und sogar laut wiederholten Befehls. Auch der Becher auf dem Tisch, die Maschinen, die Lampe an der Decke verharrten in gleichgültiger Ruhe; keines von ihnen kümmerte sich um mich. Was die Ärzte und Schwestern dachten, blieb mir verborgen und rätselhaft, und niemand von ihnen führte die Anweisungen aus, die ich im Geist an sie richtete. Was auch immer gewesen war: Es war vorbei. Und würde nicht wiederkommen.

Wenn es je dagewesen war. Ich würde es nie herausfinden. Wellroth hatte für mich einen Stadtplan befragt: Es gab siebenundachtzig mittlere, kleine und winzige Parkanlagen. Und selbst, wenn ich die richtige gefunden hätte, – wäre ich hingegangen? Ich schwöre dir, ich weiß nicht, was zu finden mich mehr entsetzt hätte: einen schwarzen Rußfleck oder einen grünenden nichtsahnenden Strauch.

Nein, ob Erfindung oder Wahrheit, Zauberei oder Wahnsinn, es war vorbei. Und alles wäre gut gewesen, wenn nicht die Dinge, die vielen unbeweglichen Gegenstände um mich, deren Dasein nicht mehr mit meinem Willen verknüpft war, auf eine bedrückende Art an Intensität, an Wirklichkeit verloren hätten. Es war, als ob von allem die Farbe abblätterte. Nun ja, könntest du sagen – in solchen Antworten warst du gut –, es war ein Krankenhaus, und dort pflegen die Sachen weiß zu sein oder grau, jedenfalls nicht bunt. Oder auch: Es gibt eben Erlebnisse, aus denen man nicht einfach zurückkehren kann wie von einem Wochenendausflug. Es war wie vorher, und genau das war das Furchtbare. Denn all das war Verstellung. Es würde nie mehr sein wie vorher.

Langsam, aber unaufhaltsam wurde ich gesund. Und selbst das hatte etwas Unangenehmes, ja Unpassendes. Die seltsam widerliche, selbstgefällige, nie endende, nie schlafende Geschäftigkeit unseres Körpers. Es ist der verschwitzte Fleiß eines Strebers; er zwingt zur Bewunderung, aber er ist abstoßend. Man erkennt ihn an, aber ungern und abgewandten Blickes.

Ich durfte aufstehen und auf drei Beinen (eines von mir, zwei Krücken) durch die metallenen Gänge des Krankenhauses stelzen. Man entfernte die weiße Schale von meiner Hand, und siehe: die Knochen waren wieder unbeschädigt, und ich konnte greifen und fühlen. Die Halskrause verschwand; mein Kopf ließ sich wieder bewegen. Und dann erlösten sie mich noch von dem schweren und unausziehbaren Stiefel an meinem Fuß. Der Panzer, den die Wissenschaft um mich gelegt hatte, zerfiel. Ich war wieder frei.

«Das wichtigste», sagte Wellroth, «ist, daß wir die Tournee fortsetzen. Und zwar so schnell wie möglich!»

«Ist das wichtig?» fragte ich. Ich mußte nachdenken, um daraufzukommen, wovon er sprach.

«Sehr wichtig», sagte er. «Enorm wichtig! Wie müssen zeigen, daß wir noch da sind.»

So verließ ich das Krankenhaus und fuhr direkt, ohne Erholungspause oder sonstigen Aufschub, in eine dämmrige Kleinstadt, wo man mich erwartete. Meine drei geheimen Mitarbeiter – im Krankenhaus hatten sie mich nicht besucht, ich hatte es verboten; sie durften niemals sichtbar werden – stießen wieder zu mir, die Arbeit ging weiter. Wir nahmen die Eisenbahn. Ich saß am Fenster und sah zu, wie leuchtende, ruinengeschmückte Hügel vorbeizogen – sie tun das immer und für jedermann; solche Schönheit hat etwas Charakterloses – und dachte nach, warum du meine Briefe nicht beantworten wolltest. Und die Ebene schlug Wellen. Die Sonne schob sich auf den Zenit zu, ein paar Wolken drängten sich machtlos am Horizont.

Am nächsten Abend hatte ich eine Vorstellung. Sie klatschten und waren begeistert, aber natürlich. Sie waren es immer gewesen, und sie würden es immer sein, darin lag nicht das Problem, darin nicht.

Alles gelang, nur einmal machte einer meiner Helfer (Paul, glaube ich) einen kleinen, ärgerlichen Fehler. Niemand bemerkte etwas, bloß ich. Und mich störte es kaum. Und gerade das – daß es mir nämlich beinahe egal war – beunruhigte mich. Nach der Vorstellung schrie ich ihn ein wenig an, aber eigentlich nur aus Pflichtgefühl. Etwas war nicht in Ordnung.

Am nächsten Tag wieder im Zug. Wieder Hügel und Bäume, wieder das nie endende, einschläfernde Spiel der Leitungsdrähte und Masten. Und auf dem Boden spulten sich Schienen ab, verzweigten und vereinigten sich, und so verging Kilometer um Kilometer. Warum freute ich mich nicht auf den nächsten Auftritt? Warum war mir alles gleichgültig? Und was war mit dir; hattest du deine Telefonnummer geändert, oder warst du bloß nie daheim? Warst du wirklich verschwunden, so plötzlich und grundlos, wie du aufgetaucht warst ...? Eines wußte ich: Ich würde nicht die Macht haben, dich noch einmal zu mir zu holen. War ich denn überhaupt noch ein Magier? War ich es denn jemals gewesen, abgesehen von einer einzigen wahnsinnshellen Nacht ...?

Ich gähnte und entfaltete eine Zeitung. Ein Krieg war beendet, ein anderer begann. Einen Diktator hatte man erschossen, mehrere künftige geboren. Die halbe Welt versuchte, Israel zu vernichten; sie tat es schon seit Anbeginn der Zeit. Ein Konzern war zugrunde gegangen, zwei Gerechte waren ermordet worden. Ein Flugzeug war abgestürzt.

Es war in Brand geraten, man wußte nicht warum. Und dann, ein fröhlich taumelnder Feuerball, auf das Meer herabgesunken, den blauen Pazifik, wo er am tiefsten war. Die Passagiere eines Kreuzfahrtschiffs hatten fernglasbewehrt an der Reling gestanden, offenen Mundes und benommen vor Freude und Grauen. Minutenlang hatten noch Flammen auf dem Wasser getanzt.

Ich gähnte wieder und zündete mir eine Zigarette an. Wellroth, der mir gegenübersaß, hustete vorwurfsvoll, wagte es aber nicht, sich zu beschweren. Mit mildem Ekel atmete ich den warmen Qualm ein. Und las weiter.

Viele Opfer. Peterson, der berühmte Wirtschaftsanalytiker. Elsa Roob, die Schauspielerin. Hans Burg, Journalist. Zwei Generäle. Jan van Rode, der Zauberkünstler. Johnathan Moss, ein Maler. Roderick Gwabuto, nigerianischer Freiheitskämpfer. Philipp d'Arton, ein Meteorologe. Und viele mehr.

Ich las die ganze Liste. Als ich am Ende war, fing ich von vorne an. Ich las sie mit verzweifelter Aufmerksamkeit. Als ob die Namen einen geheimen und bedeutungsvollen Kommentar bildeten, als ob etwas in ihnen verborgen war, das entschlüsselt werden mußte, um einen von ihnen, einen einzigen zu retten. Aber wenn da etwas war, dann fand ich es nicht. Ich hörte auf zu lesen und erwartete Tränen oder etwas Ähnliches. Aber nichts geschah. In der Tiefe meines Gedächtnisses malten sich die Umrisse eines Fensters, eines Gartens, einer verzerrten Figur. Die dicke, eisige Glasscheibe. Der wolkige Himmel. Das Nachgrollen des Donners.

Auch Gerda war tot. Sie waren auf einer Weltreise gewesen, auf meiner Weltreise, meinem Geschenk. Plätze erster Klasse. Champagner, weiche Sitze. – War es schnell gegangen? Oder hatten sie noch miterlebt, wie das Feuer auf sie zukroch? Eingesperrt in einer Stahlkapsel zwischen Himmel und Erde – nein, zwischen Himmel und Meer. Ob sie wohl noch gefühlt hatten, wie die Maschine sich neigte, kurz zögerte (einen Moment lang sehr träge und leicht) und dann, entschlossen, schnell und schneller in die Tiefe raste, in eine Tiefe, deren Grund mit der glatten

Haut des Wassers noch nicht erreicht war. Oh, noch lange nicht! Man stellt sich den Ozean gerne blau vor, durchzogen von bunten Fischen und schimmernden Lichtadern, aber das ist ein Irrtum. In Wahrheit ist er schwarz. Vollständig und absolut schwarz; keine Nacht unter dem mondlosesten Himmel könnte so dunkel sein. Hoffentlich waren sie in diesem Moment schon tot. Möge niemand je wachen Geistes eine solche Reise erleben! Wie lange dauert es, bis ein Flugzeugleib den Grund erreicht? Wahrscheinlich lange. Kein Mensch ist je dort unten gewesen, oder richtiger, keiner ist zurückgekommen. Manchmal, an zwielichtigen Tagen, werden Tentakel voll gezähnter Saugnäpfe an die Küsten geschwemmt, einige davon sechzehn Meter lang. Sonst wissen wir nichts. Da unten ist eine lichtlose Welt, bewohnt von alten, riesigen Alptraumwesen. Und dort war jetzt Jan van Rode, und niemand hatte die Macht, ihn zu befreien, ihn heraufzuholen.

Aber nehmen wir nicht das Schlimmste an! Hoffen wir, daß sie den Sturz, den Aufschlag und das endlose Sinken nicht mehr sehen mußten. Daß die erste Explosion ihre zwei zerstörbaren Leben mit sich riß, daß der aufflammende Feuerball sie noch dort oben umhüllte, womöglich, bevor sie es bemerkten. Vielleicht war der Tod schneller bei ihnen als der Schmerz. Wüßte ich das, dann wäre ich beruhigt.

«Das ist traurig», sagte Wellroth und legte mir eine feuchte, schwere Hand auf die Schulter. «Furchtbar. Ein furchtbares Unglück. Aber es kommt nicht in Frage, daß wir deswegen die Vorstellung ausfallen lassen ...!»

«Warum nicht?» fragte ich. Die Lokomotive pfiff erleichtert und schrill, Bremsen griffen zu, Räder quietschten, die Kraft des Anhaltens drückte mich sanft nach vorne. Vor dem Fenster rollte der Bahnhof ein. Wir waren am Ziel.

«Sie fällt aus», sagte ich. «Es tut mir leid, aber ich kann es nicht ändern. Ich trete nicht auf.»

Wellroth öffnete den Mund, schloß ihn wieder, wurde rot und schwieg. Eine grundlose Absage, das Schlimmste, was man tun konnte. Am nächsten Tag erschienen höhnische Beschimpfungen in mehreren Lokalzeitungen. Wellroth tat mir beinahe leid.

Die nächsten zwei Tage verbrachte ich in meinem Hotelzimmer. Ich ging auf und ab, überlegte, hörte blecherne Musik im Radio, stand am Fenster, machte Notizen, vernichtete sie, versuchte zu weinen, versuchte zu beten. Nebenbei erfand ich die zwei besten Kartenkunststücke, die es je gegeben hat; ich schrieb sie säuberlich auf, dann zerriß ich die Blätter in unzählige kleine Stücke und verbrannte sie im Aschenbecher. Einige Male läutete das Telefon: Ich hob ab, aber als ich hörte, daß es nicht du warst, legte ich auf. Immer wieder stand Wellroth vor meiner Tür, klopfte und wollte herein. Aber ich öffnete nicht.

Dann reisten wir ab. Am Bahnhof wartete eine Gruppe wütender Leute. Sie hatten ihr Geld zurückbekommen, aber sie waren trotzdem gekränkt. Einen Augenblick lang fragte ich mich, ob sie mich lynchen wollten, aber so schlimm war es doch nicht. Sie wollten bloß vor mir stehen und mich böse ansehen. Die regnerische Luft wehte zwei Flüche, ein paar Schimpfwörter zu mir, das war alles.

«Hier», rief eine Frau, «brauchen Sie nicht mehr herzukommen!» Ich hatte es nicht vor.

Es gab noch viele andere Orte, und sie waren auch nicht besser. Ich leistete die Tournee ab, alle Vorstellungen, die sich nicht mehr absagen ließen. Ich reiste, trat auf, verbeugte mich, reiste weiter. Vor immer gleichen Zugfenstern flogen immer ähnliche Landschaften vorbei. Ich gab Autogramme, und überall erwarteten mich die blitzlichtumstrahlten Mündungen der Fotoapparate. Abend für Abend stand ich vor dem schwarzen Vorhang, blinzelte in die Scheinwerfer und machte die gleichen Schritte, die gleichen Bewegungen. Und unter meinen Händen ereigneten sich die gleichen vorausberechneten Wunder; und aus der schwarzen Masse des Publikum stiegen die gleichen Laute der Überraschung.

In der Hoffnung – worauf eigentlich? auf Abwechslung? auf ein Zeichen? – ließ ich mich in den Orient fliegen, und zwar für einen einzigen, kurzen, hochbezahlten Auftritt. Möglicherweise wollte ich bloß einen König kennenlernen (aber er war klein, braun, höflich und unscheinbar), vielleicht wollte ich auch die Wüste sehen (doch dort war nur eine Fata Morgana, und in der Fata Morgana warst du). Vielleicht hoffte ich auch, daß ein Sturm, gesandt von meinem bösen Schutzengel, die kleine Flugmaschine hinunterziehen würde, ähnlich wie es bei der von van Rode geschehen war. Doch nichts passierte; ich flog sicher, wenn auch im kalten Dunst von Valium und Angst. Aber nie werde ich die Landung vergessen, im Sonnenuntergang über der Wüste, diesen Sturz aus einem brennenden Himmel auf eine Unendlichkeit glühenden

Sandes, unter einer Blutorangensonne und einem schon aufgegangenen silberrunden Mond.

Vermutlich war es ein Fehler, daß ich zurückflog. Ich hätte dort bleiben sollen, in der Hitze und in der Helligkeit. Die Zauberei kommt aus dem Orient, aus der Welt der Basare und der verwunschenen Dinge. Die wirkenden Schwüre, die beseelte, staubige Lampe. Aladin. Jetzt werde ich all das nicht mehr sehen, aber vielleicht ist es besser so. In den meisten Palästen wohnen heute uniformierte Mörder, und auf den Basaren werden Andenken an Urlauber in bunten Hemden verkauft. Geister in Lampen sind selten geworden. Und einer, der dazu verurteilt ist, wird überall enttäuscht; er muß sich nicht die Mühe machen zu verreisen.

So kam ich wieder heim, an jenen Ort des Planetenrundes, den mir das Leben zugewiesen hatte. (Wie ungerecht dieses Hier und Jetzt, das so ungebeten unser Leben durchzieht! Warum nicht anderswo? Warum nicht immerdar?) Am Flughafen erwartete mich ein Kamerateam. Ich weiß nicht, was sie sehen wollten; alles, was ich ihnen bieten konnte, war, daß ich vorbeiging, einen Koffer in der Hand und mit ärgerlicher Miene. «Dürfen wir Sie etwas fragen?» – «Nein!» Das war es. Warum waren bloß alle so versessen darauf, mir Fragen zu stellen?

Wellroth holte mich ab. Nein, keine Nachricht von dir. Du warst verreist, er wußte nicht wohin und nicht mit wem, er wußte überhaupt nichts. Ob er dir einen Privatdetektiv nachschicken sollte? «Nein», sagte ich scharf, und zum zweiten Mal an diesem Tag.

Und eine Woche später hatte ich wieder eine Vorstellung. «Diese noch», hatte Wellroth gesagt, «nur noch diese bitte, das Fernsehen ist da, landesweite Übertragung, sehr wichtig! Dann können Sie Urlaub machen. Sich mal erholen. Ausspannen.» Was glaubte er? Daß ich mich an einen Strand legte und Zeitschriften las? Also gut, hatte ich geantwortet, diese noch.

Doch es war kein guter Tag. Schon morgens, nach dem Aufwachen, beim Anblick der ersten bleichen Lichtstrahlen, wußte ich, daß es kein guter Tag war. Beim Rasieren fügte ich mir einen länglichen Schnitt zu, der erstaunlich stark blutete. Die Nacht war lang gewesen, und ich hatte noch weniger geschlafen als sonst. Drei oder vier *Bellodorm*-Tabletten kreisten schwerfällig in meinem Blut. Ich hatte Kopfschmerzen. Kaffee half nicht, genausowenig wie Aspirin.

Dann zog ein trüber Mittag ins Land. Ich rief bei dir an, niemand hob ab. Vielleicht sollte ich doch den Detektiv ... Briefe: Kinsly, Chef der *Broderhood of Magicians*, ersuchte darum, mein Bild für Werbezwecke verwenden zu dürfen, und *Who's Who* bat um Vervollständigung meiner Lebensdaten: Wer bitte war oder ist Ihr Vater? – Lieber Kinsly, schrieb ich, der Mensch ist nicht Eigentümer seines Äußeren, und schon gar nicht des Widerscheins davon auf beschichteter Silberfolie. Tun Sie also, was Ihnen beliebt. Viele Grüße, Ihr sehr ergebener ... – Und an das *Who's Who*: Adoptiert wurde ich von einem gewissen Beerholm und dessen gütiger Ehefrau, die für mich sorgten und mich liebten. Meine echte Mutter tut nichts zur Sache, zumal ich in der fragwürdigen biologischen Verbindung zwischen uns keinen bedeutenden Umstand sehen kann, nichts, was für mich von Wichtigkeit ist oder sein sollte. Einen Vater habe ich nicht, hatte ich nicht, hatte ich niemals, weder körperlich noch geistig. Sollte Ihnen das Probleme bereiten, drucken Sie es nicht ab. Freundlichst, Ihr ...

Inzwischen war es Nachmittag. In den Fenstern meines Arbeitszimmers hingen ein paar schwere, verklumpte Wolken; meine Kopfschmerzen waren schlimmer geworden. Mehr Kaffee! Meine Hände zitterten schwach. Ich schloß die Augen, und sofort hatte ich eine Idee zu einem völlig neuen, durch und durch ungewöhnlichen Kunststück. Ich öffnete die Augen, griff nach einem Bleistift, schrieb es auf. Es sah gut aus. Egal. Ich nahm das Blatt und wollte es zerreißen, – aber dann faltete ich es, schrieb «ein Geschenk» darauf, steckte es in ein Kuvert und adressierte es an José Alvaraz.

Dann zog ich mich um. Einen einfachen Anzug, ein dunkles Jackett, wie immer. So unauffällig wie möglich. Bloß nicht etwas, das nach einem Kostüm aussah. Und da klingelte es schon. Wellroth holte mich ab.

Zwei Stunden später war ich bereit. Alles war vorbereitet, meine Helfer steckten in ihren schwarzen Verkleidungen, die Leute schlenderten murmelnd in den Saal.

«Könnten Sie mir eine Tasse Kaffee verschaffen?» fragte ich. Wellroth nickte. Ich blickte in den Schminkspiegel und wartete. Ich war etwas blaß, trotz der Farbe, und ich sah zu alt aus. Mir fiel ein, daß ich noch nicht einmal dreißig war. Und für einige Sekunden überraschte mich das.

Dann ging ich hinaus. Licht, Applaus, schwarzer Vorhang. Der Schatten einer Kamera zog horizontal durch den Raum. Ich verbeugte mich kurz. Und begann.

Bist du schon einmal, wodurch auch immer, gezwungen worden, dir einen eigentlich guten Film, einen aus der alten schwarzweißglänzenden Zeit, mehrmals anzusehen? Dann kennst du wohl diesen Moment, wenn die Langeweile plötzlich und unerwartet in puren Ekel umschlägt, in das Gefühl, daß es einfach nicht erträglich ist, daß diese Leute schon wieder dasselbe tun und reden und daß man genau vorausweiß, was gleich geschehen wird. Stell dir das als einen blassen Abglanz von dem vor, was mich jetzt überfiel. Was tat ich denn hier? Um Himmels willen, was war das alles für ein Unsinn ...?

Aber ich machte weiter. Ich biß die Zähne zusammen und zwang meinen müden Körper, meinen widerstrebenden Geist zum Gehorsam. Flammen blitzten auf, Gegenstände erschienen, verschwanden; Applaus erhob sich, Laute des Erstaunens, der Begeisterung. Gott, wie mir diese Geräusche auf die Nerven gingen! Wußten sie wirklich nicht, daß ich sie belog? Wollten sie es nicht wissen?

Ich hielt ein Paket großer, aufgefächerter, grünlich strahlender Spielkarten über meinen Kopf und spürte das vertraute Gefühl vieler Blicke, die sich auf meine Hand legten. Gerade setzte ich mit der anderen Hand zu einer schnellen Bewegung an, auf die hin sich die Karten aus meinem Griff lösen und mich hektisch und insektenhaft umflattern würden – da verschwand alles. Eine dichte und kühle Schwärze, beinahe angenehm, legte sich um mich. Ich sah nichts mehr, hörte nichts.

Es kann nicht sehr lange gedauert haben. Aber die Zeit

hat Untiefen; mir kam es vor, als ob ich ziemlich lange geschlafen hatte, inmitten unnützer und trauriger Träume. Für einen Moment glaubte ich, in einer Klosterzelle in Eisenbrunn zu sein. Dann ging es vorbei. Gedämpfte Laute, wie durch Watte; helle Punkte setzten sich zu einem Bild zusammen.

Meine Hand war noch immer erhoben. Aber sie hielt nicht mehr alle Karten; einige lagen auf der Erde – und eine schwebte gerade langsam, ganz langsam an meinem Gesicht vorbei, wurde von einem Luftzug erfaßt, stürzte über die Bühnenkante, verschwand in der Dunkelheit. Ein Murmeln kroch durch den Saal. «Was ist los?» flüsterte eine Stimme. «Ist Ihnen schlecht?» Kein Geist, sondern Paul, mein Helfer. Ich zog meine Hand an mich und ließ die Karten los; sie klatschten auf den Boden. Das Murmeln wurde lauter, nervöser. Ich rieb mir die Augen. Mir kam alles sehr unwirklich vor, auch ich selbst, beinahe so, als ob ich die Erfindung eines anderen war. Was tat ich hier? Ich war kein Zauberer, ich war es nicht mehr. Ich war zu einem Komödianten geworden, einem Schauspieler, einem albernen Unterhaltungskünstler. Merlin war fern, eingeschlossen in dickes Gestein, tot, unerreichbar. Es gab keine Magie, bloß dumme Naturgesetze. Ich hatte versagt. Und mit den Leuten da unten hatte ich nichts zu tun, es gab keinen Grund für mich, hier zu sein. Also drehte ich mich um. Und ging.

Einer meiner Helfer, ein Schatten, fast unsichtbar, stand mir im Weg, ich schob ihn zur Seite. Einen Moment lang hörte ich noch die entsetzte Stille, dann schlug hinter mir der Vorhang zusammen; ich war draußen. Zwei Techniker starrten mich an; hinter ihnen stand mit offenem Mund Wellroth, eine Maske puren Erstaunens. Eine Tür: Ich ging auf sie zu, öffnete sie, ging hindurch. Ein staubiger kleiner Raum, eine zweite Tür. Ich öffnete sie, trat hinaus. Und stand auf der Straße.

Also so einfach war das! Ich hatte nie geglaubt, daß es möglich war, einfach hinauszugehen. Während des Auftretens war ich immer so geborgen und eingeschlossen gewesen, so gebannt auf das Halbrund der Bühne. Fast hatte ich erwartet, daß Tore versperrt sein würden oder dunkle Wächter darauf warteten, mich zurückzuschleppen. Aber das war nicht so. Es war wirklich so einfach! José Alvaraz fiel mir ein und seine Befreiung – ja, heute hatte ich etwas Ähnliches getan. Ich atmete tief ein und wieder aus. Mir war, als wäre ich lange im Gefängnis gewesen und hätte plötzlich ein nie gesehenes Loch in der Mauer entdeckt. Ich fühlte mich grenzenlos erleichtert.

Aber jetzt weg hier! Sie würden mich suchen, ganz sicher würden sie das. Also ging ich los. Nur nicht zu schnell, das würde auffallen und war auch gar nicht nötig. Ich kam mir auf einmal sehr leicht vor, sehr klein, sehr beweglich. So viele Straßen! So groß war die Welt, und überallhin konnte man gehen ...

Oder fahren. Ein weißes Taxi rollte vorbei, ich hob die Hand, es hielt. Der Fahrer rieb seine Knollennase und musterte mich.

«Sind Sie nicht ...?»

«Ja», sagte ich, «aber das soll Sie nicht kümmern. Fahren Sie bitte!»

Aber wohin? Nicht nach Hause. Dort würden bald Re-

porter sein, wütende und neugierige Leute, Wellroth ...
Ich wollte mit niemandem sprechen. Nicht heute. Nicht
jetzt.

«Zu einem Hotel! Dem besten, das Ihnen einfällt!»

Wir fuhren. Es war eine klare Nacht; der Mond schwebte hell im schwarzen Himmel, umgeben von einem dünnen Ring aus leuchtendem Staub. Aufschriften funkelten:
Maymart – für den Mann. Trink doch Bier. Und darüber
blinkte, ein Signal von irgendwem an irgendwen, der
Abendstern.

«Vom Fernsehturm hätten Sie eine tolle Aussicht», sagte
der Fahrer. «Die beleuchtete Stadt. Sehr schön, wirklich.»

Ich antwortete nicht, er schwieg beleidigt. Nach kurzer
Zeit hielt er vor einem breiten Eingang, goldumrahmt
und flankiert von zwei Männern in Uniformen.

«Ihr Hotel», sagte er, «gut genug?»

Ich bezahlte, stieg aus, ging hinein. Ein Mann in einem
dunklen Anzug trat mir entgegen und lächelte wissend. Er
erkannte mich.

«Ein Zimmer!» sagte ich. «Und sorgen Sie dafür, daß
ich nicht gestört werde. Das klingt einfach, aber das wird
es nicht sein.»

«Ich weiß», sagte er. «Ich habe die Übertragung im
Fernsehen verfolgt, bis zu ... – nun, der Unterbrechung.
Es gab einen Sendeausfall. Schön, daß Sie uns beehren.
Machen Sie sich keine Sorgen.»

Das Zimmer war freundlich, hell, unendlich sauber
und angenehm. Und das Bett war sehr, sehr weich. Ich
legte mich darauf und schloß die Augen. Meine Kopfschmerzen waren verschwunden, ich fühlte nur noch eine

müde Gelassenheit. Und niemand würde mich stören, bis morgen, bis übermorgen oder länger. Ob sie wohl noch in dem Saal saßen und sich wunderten und hofften, daß ich zurückkam? Armer Wellroth! Wie wütend sie jetzt alle sein mußten. Es gab vermutlich einige Aufregung da draußen, jenseits meiner luxuriösen Abschirmung, manches Geschrei, viel Verwirrung. Aber was ging das mich an?

Zum ersten Mal im Leben wußte ich, was ich zu tun hatte. Vielleicht würde es schwer werden, wahrscheinlich würde es mir Angst machen ... – Aber nicht jetzt. Nicht heute. Im Augenblick war alles besänftigt, alles ausgestanden. Ich glaube, daß noch nie ein Mensch sich ruhiger, ja friedlicher zum Tod entschlossen hat. Ich schwöre dir: Diesmal brauchte ich kein Schlafmittel, kein Pulver, keine einzige Tablette. Ich dachte nicht einmal an dich. Ich war heiter, beinahe glücklich.

XII

Und hier ist es also. Das letzte, das zwölfte Kapitel. Satz für Satz, Wort für Wort, Buchstabe für Buchstabe bin ich ihm entgegengezogen, in langsamem, doch beständigem Pilgerschritt. Ich bin wieder (oder richtiger: noch immer), wo ich war, als ich den ersten Absatz anfing: auf dem Fernsehturm. In einem Kaffeehaus unter freiem Himmel. Die Tische sind fast alle besetzt, um mich wabert Geplauder und Tassengeklirr. Ausflügler, Touristen, Leute mit Kameras, ein oder zwei kinderreiche Familien. Hoch aufragende Kellner bewegen sich tablettbeladen durch die sitzende Menge, den Kopf gesenkt, Limonaden und Torten in den Händen. Und das alles zweimal hundert Meter über der alten Erde. Ein verwirrender Zustand.

Aber man gewöhnt sich daran. Das große Problem der Höllen- und der Himmelsbeschreiber: Auf die Dauer wird der Mensch mit allem fertig, die schlimmste Glut und die hellsten Freuden, beide verlieren mit der Zeit. Auch die Angst. Seit einem Monat bin ich jeden Tag hier gewesen. Immer an demselben Tisch, ganz am Rand der Aussichtsterrasse, gleich neben dem Geländer, neben dem Abgrund. Am Anfang war es schlimm. Ich konnte nicht hinuntersehen, und die Wellen aus Beklemmung und Furcht fühlten sich an wie leichtes Fieber. Aber es wurde besser.

Und ich war überraschend ungestört. Manchmal spürte ich heimliche und neugierige Blicke, dann und wann wollten Leute ein Autogramm auf Servietten oder Bierdeckel, aber das war alles. Es scheint, daß man mich zu vergessen beginnt. Im allgemeinen Bewußtsein bin ich schon verblaßt; daß ich im Fleisch noch existiere, ist ein Zufall, ein Irrtum. Und zwar einer, der sich korrigieren läßt.

Und so, langsam vertraut werdend mit Höhe und Tiefe, habe ich geschrieben. Diese lange und verwirrte Rückschau auf mein kurzes und verwirrtes Leben. Ich gestehe: Der Makel meines Berufes haftet auch ihr noch an. Fast gegen meinen Willen ist eine kleine Vorstellung daraus geworden; ich habe Effekte, Überblendungen, täuschende Lichtspiele eingefügt. Aber wie dem auch sei, es gibt einen Augenblick, der keine Spiegelungen, keine doppelten Böden, keine Verstellung mehr erlaubt. Und der ist nicht mehr weit. Wir Täuschungskünstler fürchten die Wahrheit, aber wir entkommen ihr nicht. –

Und damit bin ich am Ende. Ich schließe die Akten; eines fernen Tages, von einem Höheren, werden sie wieder geöffnet werden. Eine Verneigung, kein Applaus, der Vorhang fällt. Genug davon!

Nein, noch nicht ganz. Etwas bleibt noch nachzutragen, aber nicht mehr viel. Der Schluß des letzten Aktes, die letzten Sätze, der Abgang. Also: Nach einem langen, weichen, kindisch seligen Schlaf kam ich zu mir. Das Morgenlicht kletterte an der Wand hinauf, das Kissen unter mir war beschmiert mit brauner Schminke. Ich setzte mich auf und starrte mir in einem Wandspiegel entgegen:

Mein Gesicht sah schief aus, zerronnen. Ich stand auf, ging ins Badezimmer und wusch mir die Farbe ab. Seife, viel Seife! Dann, endlich, war ich sauber.

In der Halle warteten sie. Kameras, Blitze, Schreie: Mein Name, immer wieder mein Name. Ich rief dem Mann an der Rezeption «Schicken Sie mir die Rechnung!» zu und rannte hinaus. Sie folgten mir, ich sprang in ein Taxi. Der Fahrer begrüßte mich, es war derselbe wie am Vorabend – die Welt ist klein, das Leben seltsam, seine Symmetrien sinnlos. «Fahren Sie!» sagte ich. Und er fuhr. Nach einigen scharfen Kurven und einem geschickten Wendemanöver wurden wir nicht mehr verfolgt.

Der Abt von Eisenbrunn zeigte keine Überraschung. Ich bekam meine alte Zelle, niemand stellte Fragen, keinem schien aufzufallen, daß ich da war. Es war noch immer sehr still, nichts Sichtbares oder Unsichtbares war anders geworden. Manchmal, spät abends oder an langen Nachmittagen, fragte ich mich, ob ich jemals weggegangen war in die laute und unordentliche Welt. Alles, was seit meinem letzten Besuch geschehen war, konnte ein langer Traum gewesen sein. Ich war nie woanders gewesen, immer hier.

Sonne und Mond folgten einander auf immergleicher Bahn, Vögel zwitscherten erregt, der Himmel war hoch, der Baum, mein alter Bekannter, äußerst nahe und wirklich. Jedes seiner Blätter warf einen kleinen, scharf umgrenzten Schatten, und so stand er sehr plastisch, sehr real, sehr selbstbewußt im Sonnenlicht. Nachts schimmerte er grau, und das Gras glänzte fahl. Ich konnte hierbleiben. Für immer. Es würde still sein, und ich würde kaum merken, daß die Zeit verging. Und irgendwann würde sie zu Ende sein, aber ohne Aufregung, ohne Schmerz. Das war möglich. Und doch, es durfte nicht sein.

Warum eigentlich nicht? In diesem Moment, während ich das schreibe, stellt sich mir die Frage plötzlich in unangenehmer Klarheit. Warum nicht? Ich könnte aufstehen, hinunterfahren zur Erde, den Zug nehmen, in ein paar Stunden dort sein. Habe ich wirklich immer noch eine Wahl? Diese elende, jeden Moment des Lebens mit Fragwürdigkeit verpestende Freiheit – endet sie nie? Nein, ich leugne sie! Ich verweigere die Wahl. Ich werde bleiben, bleiben. Ich werde es zu Ende führen.

Nach zwei Monaten verließ ich das Kloster. Das Leben war unterdessen weitergelaufen, beständig, vielfältig und unbekümmert, so wie es vielleicht nach meinem Tod weiterlaufen wird. (Man sagt so; ich glaube es nicht.) Morde waren begangen, Geld und Kriege gewonnen und verloren worden, Flugzeuge waren aufgestiegen und abgestürzt, Schiffe aufgebrochen und gesunken. Es gab Wichtigeres als mich und Neueres. Die Aufregung hatte sich gelegt.

Zunächst rief ich Wellroth und meine drei Helfer zu mir. Sie kamen. Wellroth sah nicht gut aus: Sein Gesicht war rotgefleckt, seine Brillengläser waren trüb. Die drei anderen sahen erfreut aus.

«Schön, Sie wiederzusehen!» sagte Gina. «Wir haben uns Sorgen gemacht!»

«Wo waren Sie?» fragte Wellroth leise. «Wissen Sie, daß … daß wir erledigt sind? Wissen Sie, was ich auszustehen hatte? Wissen Sie …»

«Ich weiß», sagte ich, «und es tut mir leid. Wirklich.

Ich danke Ihnen für alles, was Sie getan haben. Ihre Arbeit war schlecht investiert, aber das lag nicht an Ihnen. Sie hatten es nicht leicht, und Sie verdienen einen Besseren als mich. Wenn Sie nichts dagegen haben, umarme ich Sie jetzt.»

Er nickte überrascht, und ich tat es. Es war eher unangenehm, zumal er nach billigem Haarwasser roch. Aber ich war ihm eine Gefühlsäußerung schuldig. Als ich es hinter mich gebracht hatte, wandte ich mich den dreien zu.

«Paul, Joseph, Gina!» begann ich. (Waren das auch bestimmt ihre Namen? Sie waren es; ich hatte nachgesehen.) «Einige erstaunliche Dinge wären ohne euch nicht möglich gewesen. Ihr habt das, was ihr zu tun hattet, fast immer gut gemacht. Falls einer von euch vorhat, in diesem Metier zu bleiben, wird er es weit bringen, schließlich wart ihr meine Schüler.» Ich räusperte mich und holte tief Luft. «Dienende Geister, ich entlasse euch. Die Fesselung ist aufgehoben, ich brauche euch nicht mehr. Ich lasse euch frei. Geht!»

Das machte Eindruck. Gina starrte auf den Boden, Paul (oder war es Joseph?) war bleich geworden, Joseph (oder war es Paul?) begann, leise zu schluchzen. Ich ging langsam und möglichst gewichtigen Schrittes auf ihn zu und reichte ihm meine Hand. Er griff danach und schüttelte sie stumm. Dann stellte ich ihnen drei hohe Schecks aus, und sie zogen beklommen davon.

«Sie brauche ich noch», sagte ich zu Wellroth. «Noch ein Mal. Sie müssen eine Presseerklärung für mich aufsetzen.»

«Ihren Abschied?»

«Ja. Und daß ich nie wieder auftreten werde. Das ist unwiderruflich. Bitte keine Diskussion darüber.»

Er lächelte bekümmert. «Keine Diskussion. Aber darf ich wenigstens fragen ... – warum? Bei all diesem Erfolg? Haben Sie nicht genau das erreicht, was sie wollten?»

Die Frage erinnerte mich an etwas, und ich fühlte einen kühlen Schauder. «Nein, Wellroth, leider nicht. Ich habe nichts davon erreicht. Ich wäre einmal fast Priester geworden, wissen Sie das? Ja, das wissen Sie. Ich habe über Pascal gearbeitet, über die Zusammenhänge zwischen Zahlen und dem Glauben. Dann wollte ich Magier sein, aus ähnlichen Gründen. Aber die Dinge gerieten außer Kontrolle. Ich könnte wohl noch Fernsehshows machen und allerlei Tricks mit Hasen, Tauben und Zylindern. Aber das will ich nicht. Verstehen Sie?»

«Nein.»

«Dann werde ich es anders formulieren. Halten Sie mich für einen Künstler?»

Er zögerte einen Moment, dann nickte er. «Wenn Sie es wollen, halte ich Sie für einen Künstler. Ja. Ja, natürlich. Sie sind ein Künstler.»

«Nun, man sagt doch, Künstler müssen das tun, was sie tun. Sie sind an ihre Kunst gefesselt, sie können gar nicht anders, und es ist unmöglich, daß sie aufhören. Richtig?»

«Ja», sagte er hoffnungsvoll, «richtig. Völlig richtig!»

«Nein, falsch. Völlig falsch. Ich kann aufhören. Ich muß es nicht machen. Ich kann es durchaus sein lassen. Genügt Ihnen das?»

Er nahm seine Brille ab und betrachtete sie. «Wie Sie

meinen. Ich werde nicht mehr fragen. Sagen Sie mir nur, was in der Presseerklärung stehen soll!»

In den nächsten Tagen zogen mein Name und mein Gesicht noch einmal, ein letztes Mal, durch die Zeitungen. Anrufe kamen, Anfragen aller Art, auch Angebote, aber ich war nicht erreichbar. Die Fassade des Luxushotels und seine gutgeschulten Herren an der Rezeption bewahrten mich vor alldem. Der Unterschied zwischen meinem Prunkzimmer hier und meiner Steinzelle in Eisenbrunn kam mir plötzlich erstaunlich unbedeutend vor. Alles, was anders war, gehörte den Akzidentien an, nicht der Substanz. Manchmal, vor allem nachts, schien es mir, als ob beide Räume auf eine hinterlistige Art derselbe waren, bloß in unterschiedlicher Verkleidung.

Schon nach kurzer Zeit konnte ich wieder hinaus. Es war schnell gegangen. Man hatte akzeptiert, daß ich nicht mehr da war, nicht mehr berühmt, kaum mehr unter den Lebenden. Noch immer tasteten mich auf der Straße neugierige und zweifelnde Blicke ab, aber auch sie wurden seltener. Sicher, ich hatte es so gewollt; es wäre kindisch, mich zu beklagen. Aber trotzdem war ich erstaunt darüber, wie schnell es ging.

Meine Wohnung erwartete mich weiß und hell. Im Anrufbeantworter waren zwanzig oder mehr Nachrichten; ich nahm das Tonband heraus und ließ es ungehört in den Papierkorb fallen. Und vor dem Fenster schimmerte der Fernsehturm.

Wie kam ich auf ihn? Was weiß ich, er war einfach da. Er hatte schon einen größeren Teil meines Lebens überragt, immer mit demselben ruhigen Anliegen. Er hob sich kühl und silbrig in den Himmel, glitzernd wie eine Stahlklinge. Da oben sollte angeblich eine Terrasse sein. Und sie mußte einen Rand haben, und das Geländer war womöglich nicht sehr hoch. Mit einem sehnsüchtigen Grauen starrte ich hinauf. Er wartete. Dann machte ich mich auf den Weg.

Einen Weg, den ich inzwischen mit geschlossenen Augen schaffen könnte; ich kenne jede Kurve, jede Kreuzung, jede Stufe. Einen ganzen Monat lang habe ich ihn jeden Tag hinter mich gebracht, einen vollen, runden, blütenhellen Mai. Und immer zu Fuß. Und immer mit meiner schwarzen Aktentasche unterm Arm. Der Mann im Lift kennt mich schon, er begrüßt mich allmorgendlich mit einer kurzen und halbherzigen Verzerrung seiner Mundwinkel. Ich nehme immer den Lift; bloß einmal, aus weiß Gott welcher Eingebung heraus, stieg ich die Treppe hinauf: Eine Unzahl immergleicher blankgetretener Stufen, die sich in einer Spiralbewegung um eine steinerne Mittelachse drehen. Noch nicht oben? Noch lange nicht oben! Endlich, verschwitzt, keuchend, gehüllt in klebrige Kleidung, war ich am Ziel. Und wozu? Den ganzen Tag schrieb ich nichts Brauchbares, kaute bloß an meinem Kugelschreiber und hatte wirre und müde Gedanken. Seither ist es nur noch der Lift.

Auch die Kellner kennen mich. Sie halten meinen Tisch frei, geben meinen Bestellungen einen gewissen Vorrang und begleiten meinen Auftritt und meinen Abgang mit lächelnden Verbeugungen. Wunder vermögen viel, doch Trinkgelder mehr. Ob sie wohl ahnen, warum ich hier bin? Daß ich schreibe, sehen sie; doch schreiben kann man überall, sogar sie müßten das wissen. Niemand außer mir kommt jeden Tag hierher; sie werden sich doch bestimmt darüber wundern ... – Doch nein, sie wissen nichts. Sie ahnen nicht einmal. Es kann, es darf nicht sein. Und hätten sie bloß den Schatten einer Vermutung, er müßte sie schlaflos machen und ihre Nächte mit Schrecken erfüllen. Sie könnten mir nicht den Tisch reservieren, sie könnten nicht lächeln! Oh livrierte, schleifentragende Diener in eurer goldgeknöpften Kluft, um eurer gutfrisierten Seelen willen hoffe ich, daß ihr dumm seid! Die Idioten werden Erbarmen finden, und vielleicht sogar die Schwachen. Aber niemals die Gleichgültigen!

Und so schrieb ich. Und wenn das hier so lang wurde und der Papierstoß vor mir, blauliniert, schwarzbekritzelt, braun befleckt von Kaffee, so unnötig hoch, dann wahrscheinlich bloß darum, weil mir jede Seite noch einige Minuten, jedes Kapitel ein paar Tage schenkte. Kein Mensch ist wirklich und bis ins Innerste stark. Warum sollte denn ausgerechnet ich nicht am Leben hängen? Es ist so groß und wunderbar. Es gibt so viel Himmel darin und hohe Marmorwolken und Sonne und Mond und die Erde voll Menschen da unten. Ich bliebe so gern. Es gäbe viel zu tun, selbst wenn es unbedeutend wäre, und sogar, wenn ich nichts täte, ich wäre doch da und würde sehen, hören, atmen, essen ... Doch das sind Einbildungen. Ich habe nur kurz gelebt, also konnte auch dieses Manuskript nicht unendlich lang werden; es konnte nicht ausreichen, um mich in die Tage friedlichen Alters und sanften Todes zu tragen. Nun steht es vor dem Abschluß, ich sitze hier, vorgebeugt, eine Kaffeetasse neben mir und schreibe darüber, wie ich hier sitze, vorgebeugt, neben einer Kaffeetasse. Ich habe mich eingeholt. Auf diesen Seiten sehe ich nur noch die enge, stehende Gegenwart. Zu sagen bleibt nichts mehr. Das ist das Ende.

Ich blicke mich um. Nackte, gleißende Tischplatten und murmelnde, kauende Leute. (Siehst du die Frau dort hinten? Das dicke Kind? Den Mann mit dem Fotoapparat? Und all die dunklen Brillen?) Unter mir die Stadt. Spielzeughäuser und Baukastenfabriken, Schornsteine mit malerisch aufgesetzten Rauchschwaden. Auf einem Fluß spielt das Licht. Autos senden Blitze herauf. Wo man auch hinsieht: so viel Helligkeit.

Und dort oben, überall oben, das eine hellblaue Gewölbe. An den Rändern, dort, wo die Kuppel auf den Hügeln liegt, beinahe weiß. Man sieht es nicht gut; die Ferne löst sich in Licht auf. Meist ziehen hier Wolken vorbei, zerreißen, krümmen, winden sich, zerfallen und fügen sich zusammen, gehetzt von unsichtbaren Stürmen. Heute nicht. Wohin man sieht, überall nur eine durchdringende Klarheit. Nichts verhängt den Himmel. Die Sonne ist heute sehr groß.

Sie anzusehen ist noch schwerer, noch schmerzhafter als sonst. Oder kommt es mir nur so vor, weil es meine letzte ist? Die letzte von den zehntausend oder mehr oder weniger Sonnen, die über meinen Kopf gewandert sind. Ist sie es vielleicht wieder: die riesige, brennende Sonne meiner ersten Erinnerungen? Nein, ist sie nicht. Natürlich nicht. Es ist bloß eine ärmliche moderne Sonne, meine Abschiedssonne. Der Himmel sieht fast wie ein Vorhang aus. Ob er sich wohl teilen wird ...? – Doch nein, man weiß ja, daß es bloß Illusion ist. All das Hellblau, die feine Maserung und das Leuchten. Dahinter sind Nacht und unendlicher Raum und dann und wann ein einsamer Stern. Mehr ist es nicht. Mehr nicht.

Und der Raum. Diese seltsam geheimnislose Weite. Jeder einzelne Punkt da draußen, wo auch immer, so fern wie nur möglich, liegt auf einer geraden Linie, die von mir ausgeht. Ein mathematischer Strahlenkranz erstreckt sich von mir über den Horizont in eine sinnlose Unendlichkeit. Unzählbare Kurven gleiten durch die Leere und krümmen sich auf Linien zu, die sie nicht erreichen. Merkwürdige Allgegenwart der Geometrie. Und wenn sich nun nichts in ihr verbirgt? Wenn es nichts darin abzulesen gibt? Nein, es darf kein leeres Spiel sein! Ein Netz aus Zahlen trägt die Welt und diese Sonne, diese Stadt, diesen Himmel. Magie und Mathematik: Sie berühren sich allerorten. Das soll mein letztes Wort sein.

Nur ein paar noch. Zuletzt werde ich, was ich selten war: geschwätzig. Im Augenblick sehne ich mich sogar nach Geräuschen. Nach jeder Art von Lärm. Jetzt erst fällt mir auf, daß auf dem Grund jeder Stille etwas Unmenschliches liegt. Ich fühle schon meinen Puls schneller laufen, und meinen Atem tiefer und lauter werden. Banale Aufregung, Prüfungsangst, Lampenfieber. Unser Vorrat an Gefühlen ist nicht sehr groß; wir müssen uns immer wieder mit denselben aushelfen. Angst? Erstaunlich wenig. Erstens wurde sie von den drei Valiumtabletten aufgesogen, die ich vor einer halben Stunde geschluckt habe; und zweitens: Was geschehen wird, ist zu neu, zu unvorstellbar, zu erregend unbekannt für Angst.

Und was wird geschehen? Ganz einfach folgendes: Wenn ich den letzten Satz, das letzte Wort geschrieben, den letzten Punkt gesetzt habe, werde ich den Kugelschreiber zuknipsen und weglegen. Dann, mit einer raschen Bewegung, werde ich aufstehen.

Das Geländer ist nicht hoch; es stellt kein ernsthaftes Hindernis dar. Schnell, doch nicht hastig, geradezu mit Selbstverständlichkeit werde ich auf meinen Stuhl steigen (die erste Stufe), dann auf den Tisch (die zweite). Einzelne Blicke werden sich mir zuwenden, erstaunt die meisten, amüsiert einige, ein paar auch mit dem kalten Schrecken des Begreifens. Vielleicht wird jemand aufspringen. Doch setz dich wieder, Held, und bemüh dich nicht; es wird zu spät sein. Denn der nächste Schritt, kleiner als die beiden anderen, führt auf die dritte Stufe, den Rand des Geländers. Es könnte der schwerste sein; lange Zeit hatte ich die Befürchtung, daß ich ihn nicht schaffen werde. Aber das ist vorbei: Ich weiß jetzt, daß er leicht sein wird. Wenn ich auf dem Tisch stehe, wird sich vor mir, unter mir, die Tiefe aufrollen, in neuer, noch unbekannter Perspektive. Mein Herz wird schlagen, meine Lunge wird sich in euphorischer Panik verkrampfen. Ich kenne ihn doch so gut, den Schwindel, das innere Schwanken vor großen Tiefen. Warum hatte ich schließlich mein Leben lang Höhenangst? Wohl deshalb, weil ich es immer fühlte: Die Höhe zieht an mir. Etwas in mir wollte immer fallen. Wenn ich da oben auf dem Tisch stehen werde – die Füße zwischen dem Manuskript, der Kaffeetasse und dem Wasserglas –, dann werden der Anblick des Raumes und das Gefühl der sanft zerrenden Schwerkraft mir den dritten Schritt ein-

fach machen. Sie werden mich vorwärtstragen. Und hinauf.

Das Geländer ist aus schwarzem, rostfreiem Stahl, mas-
siv, doch nicht breit. Der vierte Schritt wird nicht mehr
meinem Entschluß unterliegen; sobald ich dort oben bin,
wird mein armer Wille alle Arbeit, alle Entscheidungen
hinter sich haben. Ich war nie gut im Balancieren; lange
schaffe ich es bestimmt nicht, und mit Sicherheit nicht,
bis der erste beherzte und atemlose Retter mich erreicht.
Ich werde aufrecht stehen, die Arme ausgestreckt; der
Wind wird meine Haare, die Sonne mein Gesicht betasten, und die warme Luft wird an mir saugen und ziehen.
Wenn er auch auf allen Uhren kurz sein wird, – es wird ein
langer Moment sein. Ich werde sehr, sehr aufmerksam
sein; ich möchte ihn auf keinen Fall durch Zerstreutheit
verderben. Vielleicht wird es ja der erste ganz und gar
durchsichtige Moment meines Lebens. –

Und dann, während sich hinter mir schwerfällige
Schritte nähern und die ersten dumpfen und trägen Rufe
aufsteigen (wie langsam und schleppend mir das alles
plötzlich erscheint, gemessen an der ungeheuren Leichtigkeit vor mir; und ihr wollt mich erreichen? wollt mich aufhalten? ihr konntet es niemals, und am wenigsten jetzt),
werde ich fühlen, wie sich sanft, ganz sanft, das Geländer
unter mir, der schmale Steg, zu neigen beginnt. Ich werde
nicht plötzlich und gewaltsam den Halt verlieren, wie ein
Apfel, den seine Fäulnis vom Zweig reißt oder wie ein zu
Boden polternder Ziegelstein. Mein Stehen wird sachte
und unmerklich in ein Fallen übergehen; ich werde zusehen, wie der Boden – fern und bestreut mit Häusern,

Menschen, Fahrzeugen – auf mich zukippt. Dann wird wohl noch einmal eine Welle glühender Furcht durch meinen Körper peitschen, meine Hände werden ganz von selbst durch die Luft flattern wie aufgeregte Schmetterlinge, auf der Suche nach Halt; doch vergeblich. Möglicherweise werde ich auch schreien, kurz, laut und häßlich. Alle Kinder und viele von den Erwachsenen werden in künftigen Jahren – wenn es solche gibt – diesen Schrei in ihren Träumen wiederfinden. Ich bedaure das heftig und würde es gerne vermeiden. Aber der Geist ist schwach, die Instinkte, wie alles Niedrige, sind mächtig.

Doch dann wird das vorbei sein. Ich weiß genau, wenn ich das Geländer nicht mehr unter meinen Füßen spüre, wenn ich ganz dem Fall, der freien Luft übergeben bin, wenn jede Verbindung zum Boden durchtrennt ist, werde ich keine Angst mehr haben. In mir wird Glück sein und Erwartung. Ich fliege. Die Arme ausgestreckt, das Gesicht, den Körper der fernen, leuchtenden Erde zugewandt. Und der Horizont wird nah sein. Und der Wind wird mich halten.

Wie lange? Das ist leicht zu bestimmen. Die alte und rätselhafte Gravitation (niemand weiß, was es wirklich ist, das alle Massen zueinanderstreben läßt) zieht mit der konstanten Kraft von etwa 10 m / sec² an mir. Es ist in Wirklichkeit etwas weniger, aber ich habe keinen Taschenrechner, und ich brauche es nicht allzu exakt. Schon Zehntelsekunden kann ich vernachlässigen. Fallexperimente tendieren zur Ungenauigkeit, wenn ein Fallender sie durchführt. Wenn ich mich richtig erinnere, lautet die Formel für den zurückgelegten Fallweg $s = \frac{1}{2} gt^2$; die Höhe meiner Aussichtsterrasse beträgt, so behauptet die rote Tafel am Eingang, 243 Meter, also etwa zweihundertfünfzig. Setzen wir ein: $250 = \frac{1}{2} 10\,t^2$. Oder auch: $t = \sqrt{50}$. Und das macht in etwa sieben. Sieben also. Sieben Sekunden. Wirst du noch einmal behaupten, daß Mathematik und Leben einander fremd sind? Wenn das Geländer mich losgelassen hat, sind diese sieben Sekunden alles, was mir von der Welt und der Zeit, der unendlichen, noch bleibt. Ich werde sieben Sekunden fallen.

Wie werden sie sein? Lang oder kurz? Werde ich sehen, wie der Boden auf mich zurast und fühlen, wie die Terrasse hinter mir in den hohen Himmel schnellt? Sieben Sekunden – ich blicke auf meine Uhr und lasse den Sekundenzeiger sieben kleine Sprünge aneinanderhängen. So lang also. Aber wie lang ist das? Und wie lang für einen Stürzenden, in dessen Kleidern der Sturm knattert und um dessen Kopf die Erde wirbelt? Ich gebe zu, auch meine gutgeübte Phantasie erreicht ihre Grenze. Ich weiß es nicht. Mag sein, daß die Zeit sich dehnt, um mich in einem verzerrten Einsteinschen Zwischenreich aufzufangen. Mag auch sein, daß es nach einem Augenblick schon vorbei sein wird. Ich weiß nur, daß ich fallen werde, die Arme ausgebreitet und die Augen aufgerissen, so weit es geht, um nichts zu versäumen. So wird die Physik, die verläßliche, mich durch die Luft und das Licht schleudern. Die Sonne wird blenden, auch dort draußen noch. Aber dann?

Ich weiß: Am Ende steht der Schmerz. Er wird, er kann nicht ausbleiben; machen wir uns keine Illusionen! Ein ungeheuer fester und gutgezielten Schlag aus Asphalt wird meinen Körper treffen; innerhalb eines Augenblicks wird jeder Knochen in mir zersplittert sein. Ob es wehtun wird? Wie kannst du fragen, es wird unsagbar, unaussprechlich, entsetzlich wehtun. Doch es wird nicht lange dauern, nicht wahr? Dumme Trostformel Epikurs, mit der man Kinder vor dem Zahnarzt beruhigt, und auch da schon vergeblich. Es wird nicht lange dauern, aber es wird heftig genug sein, um in einem einzigen Moment meinen Geist für immer von seinem Körper, von der Materie loszureißen; – was für ein Schock mag das sein, was für ein unbekannter eisiger Schreck …! Es ist nun einmal so: Diese Welt ist von der anderen durch eine Mauer aus Schmerz getrennt. Sie muß überklettert oder durchbrochen werden, umgehen kann man sie nicht. Wir begegnen unserem Körper im Schmerz, und im Schmerz, ob kurz und heftig oder quälend und lang, trennen wir uns von ihm. Das ist die Regel. Und damit genug der Aphorismen.

Also: Möge es kurz dauern und dennoch nicht zu entsetzlich sein. Von der Höhe in die Tiefe, aus dem Leben in den Tod: sieben Sekunden. Aber das ist ja nur eine von zwei Möglichkeiten. Schließlich bin ich kein Selbstmörder.

Das überrascht dich, nicht wahr? Aber ich bin tatsächlich keiner. Ich glaube, liebe, ferne Nimue, an die ewige Verdammnis. Wie also könnte ich so wahnsinnig sein und mich töten? Ich springe, aber nicht in den sicheren, nicht in den *sicheren* Tod. Ich riskiere viel, sehr viel, unvernünftig viel, das stimmt. Das mag wohl dumm sein, aber es ist keine Sünde.

Denn womöglich falle ich nicht. Ist es denn wirklich so

sicher, so vollkommen ausgemacht, daß mein Weg hinunterführt – und nicht hinauf? Wen kümmert die Physik? Sieben Sekunden – welcher Mittelschullehrer hat uns diese Formel diktiert? Bin ich kein Magier? Habe ich nicht die Materie beherrscht, dich aus dem Dunkel geholt, beim Feuer Gehorsam gefunden? Wer bin ich, daß ich fallen soll!

Ich habe das Risiko nie gemocht. Darum habe ich auf das höchste Amt der Welt verzichtet, darum habe ich in einer bestimmten Nacht ein großes und bedrohliches Angebot ausgeschlagen. Doch jetzt soll es anders werden: Ich springe. Vielleicht, daß mein Wagnis selbst ungewöhnlich genug ist, um die Ordnung des Gewölbes, um seine Regeln und Gesetze zu erschüttern, zu brechen. Ohne das Risiko ist kein Wunder zu haben: Vermutlich werde ich fallen. Aber vielleicht, vielleicht, vielleicht – wie viele ‹vielleicht› braucht es, um die Unmöglichkeit zu fassen? –, vielleicht auch nicht. Dann werde ich aufsteigen. Schweben. Gestreichelt vom Wind. Und das Land wird fern und unberührt sein, und die körperlose Luft wird mich tragen.

So wird es ein Mißgeschick sein, wenn ich sterbe. Ich werde verwirrt, blamiert, aber unschuldig vor dem Gerichtshof stehen. Daß die Naturgesetze blind sind, daß die Physik keinen Personalausgang hat, daß Magie nicht möglich ist, darüber werde ich – wenn es denn wirklich so ist – bald sieben lange, kurze Sekunden nachdenken können. Oder auch nicht. Ich setze mein Leben aufs Spiel, doch ich werfe es nicht weg. Ich wäre nicht der erste, der durch Spekulation in Gottes Reich gelangt, durch Überlegung, List und Winkelzüge. So oder so – in einigen Minuten werde ich der Zauberer sein, der ich sein wollte, oder ich werde nicht mehr sein.

Und weine nicht! Zwar erfüllt mich der Gedanke mit einem hämischen Wohlgefühl, daß du in der Sekunde meines Aufpralls, wo du auch bist, plötzlich aufschreien wirst und dir irgend etwas Passendes (vielleicht eine Vase, vielleicht eine Uhr) aus den Händen fällt und kichernd zerspringt. Das wird die letzte, die Abschiedsberührung meines Geistes sein, befreit von den Fesseln von Ort und Stoff, gerade noch überall, bald schon nirgendwo. Aber weinen sollst du trotzdem nicht; das wäre melodramatisch und falsch. Mein Tod wird nichts Tragisches an sich haben; er wird, bei Licht betrachtet, allenfalls lächerlich sein. Alle Tode, die mein Leben umgeben haben, waren das. Ein Blitzschlag beim Wäscheaufhängen – wem wäre da nicht nach Grinsen zumute? Einschlafen am Schreibtisch. Die Explosion einer brennstoffgefüllten Stahlkapsel kilometerhoch über dem Ozean. Und selbst der pflichtgetreue Tod, der den armen José Alvaraz erwartet, angekettet im Wasser, gehüllt in Eisen, das sich nicht öffnen will, – er ist lächerlich, albern, überflüssig. Keineswegs tragisch. Genausowenig wie der eines gescheiterten Zauberkünstlers, der sich von einer Aussichtsterrasse wirft, in der unsinnigen Hoffnung, daß ihm Flügel wachsen.

Aber kann ich überhaupt sterben? Ist es denn möglich, daß ich so einfach aus der Zeit verschwinde …? Ich habe diese Welt nie anders vorgefunden als gehüllt in mein Bewußtsein; wie also kann ich gehen, ohne sie mitzunehmen? Und gesetzt selbst, daß sie alle, Berge, Häuser, Sonne (und ich bezweifle es) durch und für andere Wesen fortbestehen, – es werden andere sein, nicht diese Berge, diese Häuser, diese Sonne. Alles, was sich hier vor mir ausbreitet, wird mit mir verschwinden. So wie es allerorten dunkel wird, wenn ich meine Augen schließe. Ihnen allen, den tortenessenden Familien um mich und den vielen anderen, steht eine lautlose Apokalypse bevor. Das Ende meiner Tage wird das Ende aller Tage sein. So also sieht der letzte aus: blau, hell, wolkenlos. Die Sonne schleppt sich noch auf den Zenit zu. Aber sie wird nicht ankommen.

Also wie kann ich sterben? Der Tod umrahmt mein Leben, aber er berührt es nicht, er greift nicht hinein. Wie auch das Ende dieser Erzählung nicht Teil dieser Erzählung ist. So lange sie anhält, lebe ich; und mein Verstummen kommt in ihr nicht vor, kann in ihr nicht vorkommen. So muß auch der Tod außerhalb des Daseins bleiben. Mag sein, daß das große gleichgültige Leben weitergeht, ohne zu wissen, daß es von Rechts und Vernunft wegen die Pflicht gehabt hätte, mit mir unterzugehen. Wenn heute Montag ist (ist heute Montag?) – wo werde ich dienstags sein? Lach nicht, ich meine es ernst! Ich verzichte formell und ausdrücklich auf jede Unsterblichkeit, die nicht den nächsten Dienstag einschließt! Aber ich habe Vertrauen. Ich werde sterben, und ich kann nicht sterben. Wir sehen uns wieder, Nimue, wir sehen uns alle wieder. An irgendeinem fernen Dienstag.

Voilà, meine letzte Volte. Der Schlußeffekt, das Ende meiner Darbietungen. Ich stehe auf, verbeuge mich, gehe ab. Ein Schleier aus Feuchtigkeit, halb Dunst, halb Tränen, verzerrt mir die Sicht. Ausgerechnet jetzt! Egal, wir haben kaum mehr Zeit. Eine kleine goldene Biene landet auf meinem Tisch, schwankt einige Schritte weit, erhebt sich, fliegt davon. Bald ist es zwölf Uhr. Und da oben? Der Himmel ist klar und weit ausgespannt; ein Flugzeug blitzt auf, zieht dahin, scheint stehenzubleiben. Da hängt es, und bald wird es verschwunden sein. Funkelnd, umstrahlt vom Mittag und wie erstarrt in der hellen Luft.

Weitere Titel von Daniel Kehlmann